SOKKENTHEE EN CHOCOLA

Sokkenthee

Mariken Jongman

en chocola

met illustraties van Heleen Brulot

Lemniscaat 8 Rotterdam

© 2011 Mariken Jongman
Omslag en illustraties: Heleen Brulot 2011
Nederlandse rechten Lemniscaat b.v. Rotterdam 2011
ISBN 978 90 477 0321 1

Druk en bindwerk: Wilco, Amersfoort

*Dit boek is gedrukt op milieuvriendelijk, chloorvrij gebleekt en verou-
deringsbestendig papier en geproduceerd in de Benelux waardoor on-
nodig en milieuonvriendelijk transport is vermeden.*

Rare bobbels

De zon scheen, misschien wel vrolijker dan ooit. Wieske stond op de stoep van Amerika, zoals het grote huis van de buren heette, met haar vinger bij de bel. De zomer kon beginnen, hij was nog maar één beldruk bij haar vandaan. Wieske wist precies wat er ging gebeuren. Ze zag het al voor zich: stralend zou de voordeur openzwaaien. Daar stond de moeder, met haar blonde haar, dat golvend over haar schouders viel. 'Kom je voor Katie? Gezellig, kom binnen!' Katie en Wieske kregen appelsap en aardbeien met suiker, en later, als ze moegespeeld waren, thee. Met taartjes: roze, geel en blauw. Wieske wilde graag de roze. Dat mocht, van Katie.

Katie kon natuurlijk ook Hyacint heten, of Rafaella, dat maaktc niet uit. Ze zou deze zomer Wieskes beste vriendin worden, daar ging het om.

Bijna tien was Wieske nu, en deze zomer werd de eerste mega-míétisch mooie zomer van haar leven. Megamietisch, dat was een woord uit de woordenschatkist van haar en haar vader. In dat kistje zaten de woorden die niemand op de wereld kende, alleen hij en zij. Soms sprong er zomaar ineens één in haar hoofd. Zoals nu. Dat gaf zo'n lekker kriebelbeestjesbuikgevoel.

Daar ging-ie dan! *Ding-dang dong-dang.* Ze was niet eens zenuwachtig, waarom zou ze? Er kon niks misgaan. Tevreden bekeek ze zichzelf in het dikke glas van de voordeur:

bruine bobbelstrepen, dat was haar lange haar. Iets roodge-
vlekts, haar T-shirt. En daaronder bubbelig blauw, haar favoriete spijkerbroek. Het was allemaal nogal vlekkerig en
vaag, door de rare bobbels in het glas. Toch was het duidelijk
genoeg: dit was zij, Wieske, een paar seconden voor het
geluk over haar heen zou stromen, als warme chocolade over
slagroomijs.

Het geluid van een slot. Nog een. En nog een. De deur ging
een paar centimeter open. Er verscheen een oog. 'Eh... ja?'
'Ik ben Wieske. Ik woon hiernaast.'
'O?'
Heel langzaam ging de deur wat verder open. Wieske zag nu
de rest van het gezicht. Het was van een mevrouw, met kort,
grijs haar. Niet golvend en blond. Misschien was het de oma.
'Ik eh... ik heb geen geld in huis,' zei de oma.
'Ik hoef geen geld.'
'Ook niet voor postzegels.'
'Ik heb geen postzegels.'
'Mijn man doet de postzegels. Ik niet.'
'Ik woon hiernaast,' zei Wieske nog maar eens. 'Ik zoek ie-
mand om leuke dingen mee te doen, deze zomer.'
'L... leuke dingen?' De deur ging nu helemaal open en de
mevrouw kwam tevoorschijn. Ze droeg een grijze blokjes-
jurk tot aan haar kuiten. Aan haar voeten had ze roze pan-
toffels met grote pluimdotten crop. 'O, eh... nou ja, kom dan
maar binnen.'
Wieske liep achter haar aan, de gang door. Het rook hier
naar oude sokken, die in de la liggen, zonder dat iemand ze
aantrekt. Wieske kende die geur goed. Op haar vaders slaap-

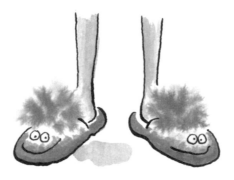

kamer was zo'n la, vol sokken van Wieskes moeder, Wendelmoed. Daar drukte Wieske haar gezicht wel eens in. Ze
hoopte dan dat ze Wendelmoed zou ruiken, maar ze rook alleen maar sok. Oude sok. En hoe langer de sokken daar lagen,
hoe oudesokkiger de geur werd. Geen moeder. Alleen sok.

'Ik ben mevrouw De Vries,' zei de mevrouw, en ze duwde de
deur naar de woonkamer open. 'Kom binnen.'
Wieske bleef in de deuropening staan. Tsjowie. Was dit hoe
oude mensen woonden? Tafels en stoelen, kasten en kastjes,
hanglampen en sta-lampen, het was propvol. En alles zag er
oud uit. Sommige dingen waren glanzend en oud, andere
versleten en oud. Wieske keek achterom. Ze had daarnet de
geur ingesnoven en verder niet opgelet, maar nu zag ze dat
de gang ook vol stond met spullen. Wie had er nu drie kap-
stokken nodig? En een, twee, drie, vier, vijf kastjes?
Maar de woonkamer was erger. Toen Wieske wat beter keek
zag ze dat er wel een soort inrichting was bedacht. Naast een
dikke stoel stonden altijd een schemerlamp en een tafeltje.

Boven elke tafel hing een hanglamp. De meeste grote kasten stonden tegen de muren.

Er was nog een smalle ruimte over om te lopen. Mevrouw De Vries volgde het paadje tussen de meubels door, alsof het heel gewoon was, en Wieske liep dus maar achter haar aan. Het pad kwam uit op een open plek. Daar stonden een blauw bekleed bankje met krullerig houtwerk, twee bloemetjesstoffen stoelen en een lage glazen tafel.

'Hier is het gezellige zitje,' zei mevrouw De Vries. 'Neem plaats.' Ze wees naar het bankje, dat vol lag met kleurige kussentjes. Zelf ging ze in een van de bloemenstoelen zitten.

Het bankje leek wel wat op een troon, maar dan breder. Wieske ging zitten en schoof naar achteren, tegen de leuning. Haar benen staken recht naar voren.

Het was stil in het huis. Zo stil dat ze de klok hoorde tikken. *Tik. Tak. Tik. Tak. Tik. Tak.*

Gek, die klok maakte de stilte nog stiller.

Wieske keek om zich heen. Daar stond de klok. O nee, dáár. En daar. En–

'Ik heb ze stilgezet,' zei mevrouw De Vries, die haar blijkbaar had zien kijken. 'Ik werd tureluurs van het gebimbom en gekoekoek. Alleen die ene doet het.' Ze knikte naar links. Toen sprong ze op. 'O, sorry, eerst thee natuurlijk.' Ze liep met snelle passen de kamer uit.

Eerst? Wat kwam er daarna dan?

Wieske hoefde helemaal geen thee, maar het zou onbeleefd zijn om meteen weg te gaan. Even een praatje maken dan maar. Dan kon ze meteen vragen waar hier in de buurt kinderen woonden. De buurt had niet zo veel huizen. Aan de overkant van de weg was alleen maar bos. Aan deze kant

stonden huizen, maar heel ver uit elkaar. Je moest wel vijf minuten lopen, van Wieskes huis naar Amerika. Aan de andere kant van Wieskes huis, ook zo'n vijf minuten verderop, stond Villa Wielewaal, een groot, wit huis. Jammer genoeg woonde er niemand, dat had ze net gezien. In de tuin stond een bord: *Te huur*.

Mevrouwige mevrouw

Mevrouw De Vries kwam de kamer weer in, met een theepot in de vorm van een olifant, en twee kopjes. Ze schonk de thee in, door de slurf, en gaf een kopje aan Wieske. Bah, die thee rook ook al naar oude sokken! En deze sokken waren *wel* gedragen.

Mevrouw De Vries ging weer in de bloemenstoel zitten. Ze blies op haar thee en nam een piepklein slokje. 'Meneer De Vries is niet thuis,' zei ze. 'Hij werkt.'

'O,' antwoordde Wieske.

'Hij werkt veel. En hard, ook. Hij werkt heel hard.'

'Ja,' zei Wieske. 'Want dan kan hij lekker veel spullen kopen.'

Mevrouw De Vries knikte, maar keek alsof ze niet snapte wat Wieske bedoelde.

Wieske zette haar kopje neer, op het glazen tafeltje. Waar moest ze over praten, met zo'n mevrouwige mevrouw? 'Eh... mijn vader werkt ook veel en hard,' zei ze.

'O ja? Wat doet hij dan?'

Dat was altijd een lastige vraag. Andere vaders deden duidelijke dingen. Ze waren brandweerman, of ambassadeur. Wieskes vader was directeur. Maar van wat precies? Niet van een autofabriek of een koekbakkerij, maar van iets vaags, iets met geld. Hij deed daar allerlei dingen mee: hij zette het ergens neer en liet het groeien, of zo. 'Mijn vader werkt bij Balling B. Kaaiman Bévé,' zei ze dus maar.

'Aha. Als wat?'

'Als eh... Balling B. Kaaiman.'

Mevrouw De Vries was even stil. 'Eh... je bedoelt dat je vader Balling B. Kaaiman *is*?'

Wieske knikte. Haar vader was best een beetje beroemd, dat had ze vaker gemerkt.

'Dus jullie wonen hiernaast. En jij bent zijn dochter. Wat leuk.'

Wieske knikte weer. Het was inderdaad leuk om Balling Kaaimans dochter te zijn. Ze keek naar haar thee en rekte zich uit om het kopje weer op te pakken. Ze moest een slokje nemen. Weggaan zonder slokje, dat kon natuurlijk niet. Gelukkig wist ze een trucje, dat had ze van Izzy geleerd, de oudste oppasdochter van Tante. Als je je adem goed inhield, proefde je bijna niets.

Wieske zette het kopje tegen haar mond, liet een beetje sokkenthee naar binnen stromen en slikte. Mooi, ze hoefde niet te kokhalzen. Meteen nog maar een slokje, ook al was de thee nog heet. Zo. Nu kon ze wel weg. Ze moest snel verder, anders kon de zomer niet beginnen.

'Lekker?' Mevrouw De Vries keek Wieske vol verwachting aan.

'Ik vroeg me af...' zei Wieske, 'wonen er kinderen in de buurt?'

'Kinderen?'

'Ja. Waar wonen die? Ik ken hier nog niemand en ik wil graag leuke dingen doen.'

'Hè? O, eh...' stamelde mevrouw De Vries. Ze werd een beetje rood. Waarom? Was het zo raar om naar kinderen te vragen?

'Ja, nee, natuurlijk,' ging mevrouw De Vries verder. 'Nee, nee, er zijn geen kinderen. Niet vlakbij. Niet aan de Adelaarslaan. Wel in Ter Broek, natuurlijk. Maar dat is een kwartiertje fietsen.'

Grompdonder.

'Maar... wonen hier dan alleen maar oude mensen?'

'Nee hoor, niet oud. Sommige wel, maar de meesten zijn ongeveer van mijn leeftijd.'

Grompdonderstinkgedoe.

Grompdonderstinkgedoenogaantoe.

Dat kon toch niet waar zijn? Waarom waren ze dan verhuisd? Wieske sprong op. 'Ik moet gaan.'

'Maar... je thee is nog niet op. Wil je een koekje? Chocolaatje? Ik heb geloof ik nog een paar bonbons in–'

'Ik moet echt gaan.' Wieske liep snel naar de voordeur en wachtte. Mevrouw De Vries dreutelde achter haar aan.

'Nou ja, als je een keer iets leuks wilt doen... Ik heb een la vol leuke spelletjes.'

'Goed. Tot ziens, mevrouw De Vries.' Wieske trok de voordeur open.

'Kom gerust nog eens langs.'

'Ja hoor.'

Nee hoor.

Waarom zou ze?

Halverwege de oprijlaan draaide Wieske zich om. Mevrouw De Vries stond in de deuropening en zwaaide. Wieske zwaaide even terug en liep toen snel verder. De voordeur viel dicht, met een klapje. Wacht eens even... O help, mevrouw De Vries had natuurlijk gedacht dat ze leuke dingen met háár wilde doen! Nee toch? Jawel, dát was het. Dáárom werd ze rood, toen Wieske vroeg naar kinderen in de buurt. Wat een gek mens. Waarom zou zij met zo'n oude vrouw...

Wieske schudde de mevrouw uit haar hoofd, hop, weg ermee. Er waren belangrijker dingen, zoals geen kinderen hier. Wat nu? Gaan uithuilen bij haar vader? Dat had niet zoveel zin. Ze konden wel weer verhuizen, maar tegen de tijd dat ze een nieuw huis hadden, was de zomer voorbij. Een lange, saaie rotzomer.

Een lange lange lange rotzomer.

Wieske liep langs de weg en de oprit van hun nieuwe huis op. Nou ja, echt nieuw was het niet, het stond er al honderd jaar, had haar vader gezegd. Het was rechthoekig, met zuilen ervoor, alsof het een Griekse tempel was, en een bordes. Een bordes was een soort grote, hoge stoep. Wieske liep de treden op, één tot en met zes, naar de voordeur. Waarom had haar vader weer zo'n groot huis uitgezocht? Het was niet zo groot als hun vorige huis, maar toch. Wat had je eraan? Ze waren maar met z'n tweeën. Nou ja, Tante was er natuurlijk, maar die ging om vijf uur weg. 's Avonds kwam Tina, of een andere oppasdochter van Tante, maar daar had je ook geen groot huis voor nodig. Ze hadden beter een flat kunnen nemen, in de stad. Dan had je boven je, onder je en aan beide kanten kinderen om mee te spelen. Je werd daar gewoon bedolven onder de kinderen!

Hier had je alleen bomen en gras om je te bedelven. En kamers. Kamers waar je niks mee kon. Ja, een computer kon je er neerzetten. Wieske liep de gang door en de trap op naar haar computerkamer. 'ns Kijken of Rosalie online was.

Nee.

Een mailtje dan maar.

Wat moest ze schrijven?

Geen mailtje dan maar.

Nergens zin in.

'Ben je daar, Wieske?' Tante stak haar hoofd om de deur.

'Nee,' zei Wieske.

'Wat gek, het lijkt net alsof je daar zit. Komt je vader thuis eten, straks?'

'Ja,' loog Wieske.

Eigenlijk zouden ze dit geen liegen moeten noemen. Er zou een beter woord voor bedacht moeten worden. 'Liegen' klonk gemeen, terwijl dit niet gemeen was, maar juist goed. Gielen. Dat was al beter. Maar het kon vast nog mooier. Ze zou het eens aan haar vader vragen. Misschien wist hij iets. Dan kwam er ook eindelijk weer 'ns een nieuw woord in hun schatkist. Dat was al een poos geleden.

Ollah Eila!

Tante ging weer weg, gordijnen ophangen in kamers waar niemand sliep.

Wieske legde haar hoofd op het toetsenbord. Wilde Rosalie nou maar komen logeren. Al was het maar een weekje. Maar Rosalie wilde niet. Wieske mocht wel bij hen komen, in een of ander ver buitenland. Maar ja, dat wilde Wieske natuurlijk weer niet. Ze was al zo weinig thuis, bij papa.

Rosalie wilde ook bij haar ouders zijn. En bij haar zusjes, Marianne Fee en Lelie Marleen, de tweeling. Wieske was beste vriendinnen met alle drie, maar het meest best met Rosalie, ook al was zij een jaar ouder, want Rosalie was een eenling, net als Wieske. Daarom hadden ze afgesproken samen óók een tweeling te zijn. Tweelingvriendinnen. Dat was net zoiets als tweelingzusjes. Net zo samen.

Wieske was dolblij geweest toen de zusjes Hiemstra ten Cate bij haar op school kwamen, twee jaar geleden. Ze kon met alle kinderen opschieten, maar ze had niet echt een beste vriendin. Nu had ze er plotseling drie! Waarvan één de allerbeste. School was opeens heel erg leuk.

Haar slaapkamer op school lag naast die van Rosalie en tegenover die van Marianne Fee en Lelie Marleen. Ze gingen bij elkaar op bezoek, ook stiekem, 's avonds laat. Rosalie en Wieske vertelden elkaar geheimen, in het donker, onder de deken.

Wieske had Rosalie verteld over Bloem en Vos, haar beste vrienden toen ze klein was. Dat had ze nog nooit eerder gedaan, aan niemand niet.

Ze hadden in het donker over Wieskes moeder Wendelmoed gepraat. En over Catherina, dat was Rosalies moeder, die voor andere kinderen zorgde, in het buitenland. Dat werk was belangrijk, want die kinderen waren ziek.

```
Ollah Eila!
Ik verveel me. Wat doe je nu? Waren
jullie maar hier, dan konden we een
boomhut bouwen, of een musical bedenken.
Suk, Ekse
```

Eila en Ekse, dat waren hun geheime namen. Het waren afkortingen van Eilasor en Ekseiw. Verder deden ze het bijna nooit meer, woorden omdraaien. Alleen hun namen vonden ze zo nog leuk.

Wieske warmde het eten op dat Tante had gemaakt. Het was natuurlijk veel te veel: de rest moest ze straks goed wegmoffelen in de vuilnisemmer, zodat Tante het niet zou zien. Als ze had gezegd dat haar vader *niet* thuiskwam om te eten, had ze met Tante mee gemoeten, naar de Robijnstraat. Daar had ze dus echt geen zin in. Tante Nancy, zoals ze eigenlijk heette, was wel aardig, maar bij haar thuis was altijd geschreeuw en geruzie en gedoe. Ze had vier dochters, die aldoor elkaars vriendjes afpakten, elkaars kleren inpikten en elkaars haarlak opmaakten.

Han, dat was Tantes man, zei nooit veel. Hij was meestal

ook niet zo goed te zien, want hij zat het liefst achter de krant in zijn stoel. Alleen bij het eten kwam Tantes Han tevoorschijn. Hij heette natuurlijk niet echt Tantes Han. Tante zei altijd 'mijn Han' als ze het over hem had. En als ze hem riep, zei ze 'papa'. 'Papa, eten!' Alsof hij haar vader was! Raar, hoor.

Was ik maar niet echt, dacht Wieske toen ze in bed lag.
Was ik maar uit een boek.
Als ze niet echt was, maar uit een boek, dan kon ze toveren. Dan had ze een stokje waarmee ze drie draaitjes maakte, 'floep' deed, en hop, er woonde een leuk gezin in Villa Wielewaal. Katie was dan haar beste zomervriendin en Wieske was gelukkiger dan alle sterren in de hemel samen, en de maan erbij.
Maar ze kon niet toveren. Ze had geen stokje waarmee ze 'floep' kon doen. Ze had wel een bed, daar lag ze in, een blauw plafond, daar staarde ze naar, en een zomer die nog helemaal moest beginnen. Een zomer met niets erin, behalve een uitnodiging van mevrouw De Vries: 'Kom gerust nog eens langs.' Maar ze wilde niet naar mevrouw De Vries, met haar oudesokkenthee en haar oudemensenmeubels.

Als het lukte, bleef Wieske wakker tot haar vader thuis was, want hij kwam altijd nog even bij haar kijken. Vaak deed ze dan alsof ze sliep, want dan streelde hij over haar haar en blcef wel vijf of tien of vijftien minuten zitten. Als ze niet deed alsof ze sliep, praatten ze. Dat was ook heel leuk. Maar meestal praatten ze niet lang. Papa was dan moe, gaf haar een kus en ging gapend naar bed.

Voordat haar vader thuiskwam, moest ze altijd kiezen: slapen plus haarstrelen, óf wakker zijn plus praten.

Krakend kwam papa's auto de oprijlaan op. Deur. Klap. Voet-
stappen op het grind. Voordeur. Nu gaf hij Tina haar oppas-
en taxigeld. Daarna zou hij direct de trap op komen. Zo ging
dat. Altijd. Daar kon ze op vertrouwen.

Echt-echt-echt-echt

Slapen of praten, praten of slapen, wat wilde ze? Praten was fijn, maar dan was er geen haarstrelen.

Nee, praten, ze *moest* praten. Haar vader wist vast en zeker een oplossing voor de lege zomer. Misschien mocht ze wel mee naar kantoor. Dan kon ze brieven dichtplakken. Dat had ze al eens gedaan, twee jaar geleden, toen Tante Nancy ziek was. Na die ene keer had Wieske heftig gehoopt dat Tante weer ziek zou worden, maar dan erger, zodat ze meer dagen moest wegblijven. Jammer genoeg gebeurde dat niet.

De slaapkamerdeur ging zachtjes open en haar vader sloop naar binnen. 'Slaap je, Wielewiekje?'

'Nee, ik ben wakker.' Wieske ging rechtop zitten en knipte haar bedlampje aan.

Papa kwam bij haar zitten. 'Nog steeds? Het is al heel laat.'

'Pap, er wonen geen kinderen, hier. Wat moet ik doen, de hele zomer?'

'Geen kinderen? Niet één?'

'Nul. Alleen oude mensen.'

'Hm... hm.' Haar vader keek voor zich uit. Wieske kon zien dat hij zich afvroeg wat er was misgegaan. Het was juist de bedoeling geweest van de verhuizing dat Wieske meer 'onder de mensen' zou zijn. Dat had hij gezegd. Onder de mensen. Dat was goed voor haar.

'Kan ik niet met jou mee naar kantoor?' vroeg Wieske.

Hij schudde zijn hoofd.

'Ik kan helpen met koffie halen en enveloppen dichtplakken en beeldschermen schoonmaken en–'

'Liefje, het gaat niet. Ik heb wel vijf lange besprekingen. En bovendien is het verschrikkelijk saai, op kantoor. Iedereen is saai en doet saaie dingen. Niks voor jou.'

'Maar je hebt geen last van me. Echt-echt-echt-echt niet.' Bij elke *echt* schudde Wieske haar hele lijf heen en weer, zodat het nog duidelijker zou zijn dat het echt was.

Haar vader schudde zijn hoofd.

'Maar papa, wat moet ik dan?' Wieske keek haar vader aan en stak haar onderlip een klein stukje naar voren. Er stond een leger tranen klaar om naar buiten te rollen, in lange rijen van twee. Huilen had grote voordelen. Je kreeg kusjes en aaitjes en lieve woordjes. Maar niet-huilen had ook voordelen. Je leek stoer en sterk, en je vader was trots op je. Als je stoer en sterk was, kon je van alles doen, zoals werken op een kantoor.

'Tante is er toch?' zei papa. 'Zal ik Tina vragen of ze wat vaker komt?'

'Maar papa, Tina is vijftien!'

Tina interesseerde zich alleen maar voor make-up en televisieprogramma's waarin ruzie werd gemaakt. Het was knap, zoals ze altijd een programma wist te vinden waarin ruzie werd gemaakt. Wieske had zelfs een tijdje gedacht dat mensen op de televisie vanzelf ruzie gingen maken als Tina naar ze keek.

'Vijftien. O ja.' Haar vaders ogen flitsten heen en weer, alsof hij razendsnel nadacht. 'Wil je dan een fiets?' vroeg hij.

'Een fiets?'

'Ja, fietsen, dat is echt iets voor jou.'

'Goed. Gaan we er dan samen een kopen, morgen?'

'Morgen kan ik niet. Ik leg wel een betaalpasje voor je klaar.' Hij rekte zich uit, zijn gezicht veranderde in een enorme mond.

'Papa, vertel nog eens over Wendelmoed.'

Het was even stil. Haar vaders armen vielen weer naast hem neer. 'Vanavond niet, Wiezel, ik moet echt slapen, ik ben doodop.'

'Mag ik ook iets anders kopen dan een fiets?' Misschien kon ze een scooter kopen. Dat ging veel sneller. Dan kon ze overal heen rijden, misschien wel naar het buitenland, en toch weer thuis zijn voor het eten.

'Koop maar wat je wilt, schat.' Haar vader gaf Wieske een kus op haar hoofd. 'Als je maar blij bent, en gelukkig. Dat is het allerbelangrijkste. Ik wil dat je een mooie zomer hebt.' Hij stond op.

'Hoe mooi precies?' Wieske gniffelde, want ze wist het antwoord natuurlijk al.

'Megamíétisch mooi, natuurlijk.'

'En van jollemejoepie.'

'Grompdonders knolkoeiend. Welterusten.' Haar vader liep de kamer uit en deed de deur heel zachtjes dicht, alsof ze al sliep.

'Papa, papa!' Wieske schudde voorzichtig aan de dekenhomp.

'Hè, wat?' In een tel zat haar vader rechtop in bed. 'Wat is er?'

'Ik kan niet slapen.'

Haar vader ging weer achteroverliggen, alsof er ineens geen reden meer was voor bezorgdheid. 'O. Waarom niet?'

'Ik maak me zorgen. Wat als ik geen fiets mag kopen? Ik ben nog maar negen. Misschien vinden ze het raar, als ik in m'n eentje een fiets kom kopen. Ik denk dat je toch mee moet.'

'Hm. Dan bellen ze mij maar op. Of je neemt Tante Nancy mee. En nu lekker slapen.'

'Pap?'

'Hm?'

'Heb jij wel eens dat je iets zegt, en dat het niet helemáál waar is, of zelfs helemaal niet, maar dat het ook niet echt liegen is, want liegen is gemeen, en wat jij zegt is niet gemeen, maar wel gewoon beter voor jou en misschien wel voor iedereen?'

'Hè? Eh... jawel, ik denk het wel. Hoezo?'

'Daar is geen woord voor.'

'Oei.' Haar vader schoof wat rechterop en keek Wieske aan. 'Daar moeten we dus hoognodig een woord voor maken. Maar niet nu, want ik ben echt heel moe. Ik moet om zes uur op.'

'Als jij eerst wat zegt, dan bedenk ik het wel verder. Ik heb toch niks te doen.'

'Eh... smorrelen. Of sminken... of frokken.' Haar vader rolde op zijn zij, met zijn rug naar Wieske, en trok de deken over zijn hoofd. 'Trusse-iefje,' hoorde ze nog.

Wieske leunde op de vensterbank en keek door haar slaapkamerraam de nacht in. 's Nachts was je vervelen nog vervelender dan overdag. Kon ze niet iets verzinnen om te doen? Ze kon naar buiten gaan en overlevinkje spelen. Net als vroeger, maar dan in het donker. In het donker moest je ook overleven. Dat was nog spannender.

Overlevinkje was dat ze geen huis meer had. Iedereen was dood, behalve zij. Ze moest zich zien te redden, in de bossen en de velden. Dat was niet gemakkelijk. Ze groef knollen uit en sneed er stukjes vanaf, met het scherpste mes uit de keukenla. Knollen waren hard. En vies. Heel erg vies. Maar ja, ze moest eten, om te overleven. Soms waren er bramen. Dan was overleven leuker. Ze at bramen tot alles paars was: haar handen, haar tong, haar kleren. Daarna bouwde ze een hut en ging ze insecten zoeken, om te bekijken. Want die leefden nog wel, gelukkig.

Er was buiten niet veel te zien. Zelfs geen sterren.

Overlevinkje was leuk. Waarom kreeg ze dan zo'n grompig gevoel als ze eraan dacht?

Het kwam vast door buiten. Het was gewoon te donker daar. Ze moest er maar niet meer naar kijken.

Naar bed. Knoeterhard fantaseren over Katie. Dan werd ze misschien wel echt.

Plofstofjes

Tante kon niet mee naar Ter Broek, want het was deken-luchtdag, géén inkoopdag. Eens in de maand moesten de dekens worden gelucht. Dat betekende dat ze de hele dag buiten moesten hangen, in de frisse lucht. Tante klopte ze uit, met de mattenklopper. Er vlogen dan mooie plofstof-wolkjes uit.

Deze keer ging Wieske geen plofstofjes kijken. Ze ging een fiets kopen. Het was een heel eind lopen, haast een uur, over het fietspad langs de weg. In Ter Broek vond ze snel een fiet-senwinkel, ze hoefde maar één keer de weg te vragen.

De fietsverkoper vond het inderdaad raar, dat Wieske in haar eentje een fiets kwam kopen. Dat had hij nog nooit meege-maakt. Wieske trok papa's papier uit haar broekzak. Dat had ze vanmorgen op de keukentafel gevonden, onder het betaal-pasje. Haar vader had het geschreven, met de hand, op brief-papier van Balling B. Kaaiman bv. Er stond op dat zijn dochter Wieske *het gewenste object* mocht kopen. *Indien u vragen hebt, kunt u contact opnemen*, en daarna zijn telefoonnummer.

Wieske gaf de fietsenman het papier en liet het pasje zien. De fietsenman las het papier door. 'Zozo,' zei hij. 'Toe maar. "Het gewenste object." Doe mij ook zo'n brief, met zo'n pasje. D'r staan zeker heel wat centjes op die rekening?'

Centjes. Alsof ze een klein kind was. Wieske trok het papier uit zijn handen.

De fietsenman haalde een telefoontje uit zijn achterbroek-
zak en keek Wieske scherp aan.
'Doe papa de groeten,' zei Wieske.
Hij duwde de telefoon weer in zijn zak. ''t Zal wel goed zijn.'

Wieske zocht een glimmende, lichtgroene fiets uit, met een
terugtraprem en een paars mandje voorop, en even later
fietste ze door de Terbroekse straten. Mooi rechtop en niet
te snel, zodat iedereen haar goed kon zien, op de glanzende
fiets die ze van haar vader had gekregen.
Ze keek om zich heen. Misschien was hier ergens een winkel
waar je plastic bloemen kon kopen. Dan kon ze haar mandje
leuk versie–

'Kijk uit, domme trien!'

Wieske gooide haar stuur opzij en botste tegen de stoep.

Languit lag ze op de tegels, met de fiets half over zich heen. Niet bewegen. Eerst bedenken waar haar armen waren. Haar benen. Dan voorzichtig voelen of alles het nog deed.

'Kun je niet uitkijken?'

Wieske probeerde haar hoofd te draaien om te zien wie er praatte, maar het ging niet. Het was dat meisje natuurlijk, dat net ineens op de weg had gestaan. Nu zag ze alleen roze plastic slippers met tenen erin, en daarboven twee benen.

'Wat dacht je: ik ben de koningin van Truttenland en iedereen moet maar voor mij opzij?'

De tenen kromden zich in de slippers. Ze werden een beetje wit.

Het leek erop dat ze geen hulp zou krijgen. Wieske duwde de fiets van zich af. Haar rechter elleboog deed pijn, daar zou wel een schaafwond zitten. Haar broek was ook een beetje kapot, zag ze toen ze zich op haar zij draaide.

Ze ging op haar kont zitten en keek omhoog. Daar stond het meisje, met haar handen in de zij. Ze had blonde krullen, die alle kanten op wipten, en boze ogen. Een plastic supermarkttasje bungelde aan haar pols. 'Ik hoop dat die fiets kapot is,' zei ze.

'Ik fietste daar gewoon, hoor.' Voorzichtig stond Wieske op. Au. 'Ineens stond jij daar, op de weg. Ik snap niet waarom je zo boos doet.'

'Nee, dat snap jij niet, hè? Pff, nog dom ook. Tsuh.'

Wieske bekeek de binnenkant van haar handen. Ze waren geschaafd, maar bloedden niet. Jammer, want ze had ze graag afgeveegd aan dat krulletjeskind. Ze pakte haar fiets op. Het stuur was verdraaid, maar verder leek alles nog oké. Gelukkig wist ze hoe ze het weer recht moest krijgen, dat had ze vroeger van haar vader geleerd.

'Ja, ga maar snel voor je fietsje zorgen,' zei Krulletje. 'Je fietsje is natuurlijk het à-hà-hà-hàllerbelangrijkste op de wereld.'

Wieske opende haar mond en deed hem weer dicht. Wat moest je daar nu op zeggen? Dat kind was niet helemaal lekker. Er zat duidelijk een steekje bij haar los.

Wieske klemde het voorwiel tussen haar benen en duwde met kracht het stuur recht.

Daar ging Krulletje. Ineens. Ze keek naar rechts en links, stak de weg over en holde in de richting van de kerk.

Nou ja. Kwam ze eindelijk iemand van haar eigen leeftijd tegen, was het er zó een.

Wieske stapte op haar fiets en glimlachte. Ze had zich in elk geval even niet verveeld.

Stokoude kleren

Wat lekker om een fiets te hebben! Wieske zoefde langs de weg, met de wind in haar rug. Goed idee van haar vader! Het was nog geen kwartier fietsen van Ter Broek naar huis. Misschien waren er in Ter Broek wel leuke dingen te doen. Of anders misschien in Huffelen: dat lag nog een stuk verder, maar het was ook een iets groter stadje. Het gaf niet als ze een eind moest fietsen. Ze had verder toch niet veel te doen. Daar was Villa Wielewaal al, met het *Te huur*-bord in het hoge gras. Wieske stapte af. Tsjowie, wat een mooi huis was dit. Mooier dan hun eigen huis, en ook dan Amerika. Villa Wielewaal leek wel een fantasiekasteeltje, helemaal wit, met grote uitbouw-ramen. En de tuin, die was misschien nog wel mooier dan het huis. Overal groeiden bloemen en bomen, niet netjes op een rijtje langs de kant, maar kriskras, alsof ze allemaal zelf een plekje hadden uitgezocht dat ze leuk vonden.

Aan de achterkant was vast ook een mooie tuin. Groot, met bomen vol appels en peren en perziken. En ook oude, dikke bomen, waar je hutten in kon bouwen.

Wat zonde dat er geen leuke mensen woonden. Niet alleen voor haar, ook voor het huis. Het zag eruit alsof het echt zin had in een leuk gezin, met kinderen.

Te huur. W&W Makelaars. Voor Wonen en Werken. Daaronder een telefoonnummer.

Een telefoonnummer. Dat kon je bellen.

Ja, en dan? Niks, dan. Wat zou ze moeten zeggen, als ze belde? *Beste mensen van W&W Makelaars, ik wil graag een leuke familie aan de Adelaarslaan 126. Anders is het zo zielig voor het huis.*

Whoesj! Ineens blies er een ballon op, in haar buik. Niet echt natuurlijk, maar zo voelde het.

Dat was precies wat ze kon doen, maar dan anders.

De ballon werd groter. Ze had een pasje van haar vader. Ze mocht kopen wat ze wilde. Wat haar maar gelukkig maakte. *Dit* zou haar gelukkig maken.

Ze moest oppassen dat de ballon niet knapte, van zo veel jupie-juper.

Ze ging Villa Wielewaal huren en een gezin zoeken dat erin wilde wonen. Dat kon nooit moeilijk zijn, met zo'n mooi huis!

Wieske stampte het telefoonnummer in haar hoofd en stoof naar huis, alsof ze een windvlaag was.

De hoorn gloeide van opwinding.

'Ik wil een huis huren,' zei Wieske. Ze zat met de telefoon op de vloer van de woonkamer. 'Vandaag nog. Villa Wielewaal. Aan de Adelaarslaan, nummer 126.'

'Hoe oud ben je?' vroeg Bea. Bea Burger was de W&W-mevrouw die net had opgenomen.

Oei, daar had ze niet aan gedacht. Hoe oud moest je zijn om een huis te mogen huren? Twintig? Dertig? Ze kon maar beter geen risico nemen. 'Zestig,' antwoordde ze.

'Hm,' zei Bea. 'Je klinkt meer als tien.'

'Dank u wel,' zei Wieske. 'Ik doe mijn... euterste best om

jong te blijven.' *Euterste*, dat klonk nog beter dan *uiterste*, deftiger, en vooral nóg ouder.

'Kom maar even langs dan,' zei Bea Burger. 'Met een paspoort, rijbewijs of iets anders waar je leeftijd op staat.' Ze noemde een adres in Ter Broek.

'Goed. Tut straks, mevrouw Burger.' Wieske legde neer. Wat nu? Ze moest een vermomming hebben die zo goed was dat Bea geen paspoort of rijbewijs meer hoefde te zien. Ze had misschien toch beter twintig kunnen noemen, als leeftijd, dat was gemakkelijker geweest dan zestig. Nu moest ze stokoude kleren hebben, en zo'n hoedje met een netje ervoor, zodat haar gezicht niet te zien was.

Ach wat. Bea geloofde haar nu al niet. Ze kon de brief van haar vader laten zien. Maar Bea zou hem zeker bellen. Bea Burger was niet gemakkelijk voor de gek te houden, dat was duidelijk.

Wat nu?

Misschien moest ze het gewoon vragen, aan haar vader. Misschien mocht het wel.

Maar nee. Ze kende hem. Dit zou hij 'van de zotte' vinden. Dat zei hij: van de zotte. Ze mocht alles hebben, maar ze mocht niet verwend raken. Mensen in een huis laten wonen, dat was natuurlijk verwend. En hij zou allemaal problemen zien. Waar haalde ze die familie vandaan? Wat waren dat voor mensen? Waren ze wel te vertrouwen?

Vooral die laatste vraag was natuurlijk stom. Wat deed dat ertoe? Meestal kreeg je zomaar buren, en dan wist je ook niet of ze te vertrouwen waren. Nu kon je ze tenminste nog zelf uitzoeken. Dat was veel veiliger.

31

Misschien had Rosalie geantwoord. Wieske liep de trap op,
naar de computerkamer.

Nee dus.

Ioh Eila!
Ik ben omver gedonderd met de fiets. Alles
doet pijn en mijn arm hangt er bijna af.
Misschien ga ik een rolstoel kopen. Een
elektrische. Het is niet zo erg hoor, de
dokter zei dat er een goede kans was dat ik
later weer gewoon kan lopen.
Verder is het hier saai. Er woont niemand
naast ons, alleen een oude mevrouw en meneer.
Ik ga mensen zoeken voor in het lege huis aan
de andere kant. Daarvoor moet ik zestig
lijken. Weet jij hoe dat moet? Laat het snel
weten, anders sterf ik weg van saaiheid.
Teorgjes, Ekse

Hoe ouder, hoe echter

Wieske lag languit op haar rug, op de houten vloer van de woonkamer, naast de telefoon. Ik blijf hier de hele zomer liggen, dacht ze. Tante kan wel om me heen stofzuigen. Hoeveel uur duurde de zomer nog? Misschien wel honderdduizend. Ze kon de elektrische rolstoelenfabriek bellen, dan gebeurde er tenminste iets spannends. Brommer, scooter, auto, ze was overal te jong voor. Stom, eigenlijk. Alsof je niet kunt sturen als je bijna tien bent. Zou ze een pony kopen? Nee, want waar moest de pony dan blijven als ze weer op school was? Wie zorgde er voor hem? Niemand ging met hem rijden, niemand gaf hem aaitjes, niemand...
Nou ja, zeg. Ze hád niet eens een pony en toch moest ze huilen, omdat hij helemaal alleen was, de pony die ze niet had.

Was ze nog maar vijf.
Dan kon ze gewoon brommer rijden.
Doen alsof, maar dat maakte toen niet uit. Ze crosste overal naartoe en hoefde voor niks en niemand aan de kant, ook niet voor vervelende krulkoppen, daar reed ze gewoon overheen. Met extra gas: brrrroemmmm! Het was toch niet echt.
Hoe ouder je werd, hoe echter alles werd, en hoe lastiger.
Hoe echt zou alles wel niet zijn voor oude mensen, zoals

mevrouw De Vries? Oude mensen hadden vast een rotleven. Helemaal opgepropt tussen de oude spullen.

Hun eigen woonkamer was gelukkig niet zo vol. Hij was eerder nogal leeg. Er stond wel een heel grote bank, wit, met een hoek erin en twee poefen erbij. Zo heette dat, poef, dat was een leuk woord. Een poef was een ding waar je je voeten met een plof op kon leggen. *Poef, poef, poef!* Verder kon je er niet zoveel mee.

In hun woonkamer kon je geen apenkooi doen, bij mevrouw De Vries wel. Maar daar was vast niet veel aan: het was veel te gemakkelijk, met al die spullen zo dicht bij elkaar.

Ineens zat Wieske rechtop. Mevrouw De Vries! Die wilde iets leuks doen. Nou, als er *iets* leuk was, was het wel je buurmeisje helpen met een huis huren. Mevrouw De Vries had natuurlijk een hele berg oudemensenkleren. En ze wist vast ook hoe je rimpels moest maken. Ze had er zelf een heleboel.

Ding-dang dong-dang. Sloten. Deur op kier. Oog.

'Ik ben het, mevrouw De Vries, Wieske. Van hiernaast.' De deur ging meteen helemaal open.

'Hallo Wieske, wat leuk. Kom je theedrinken?' Mevrouw De Vries liet Wieske binnen en deed de deur weer dicht.

'Eh... nee, geen thee.'

'Een spelletje? Ik heb... O nee, die zijn er natuurlijk nog niet. Ik heb gisteren wat spelletjes gekocht. Besteld, via internet.' Ze liep de woonkamer in en het meubelpaadje door.

Wieske liep achter haar aan. 'Besteld?'

'Ja, voor het geval je tóch iets leuks wilde doen. Ik heb nu alleen oude spelletjes, van vroeger. Halma, ganzenbord, monopoly met guldens. Je kunt de hele hoofdstad kopen voor een paar piek!' Ze lachte. Ze zag er lief uit, als ze lachte. Jonger.

'Ik kom niet voor spelletjes, mevrouw De Vries. Ik heb hulp nodig.'

'O ja?' Mevrouw De Vries ging in haar bloemenstoel zitten en keek Wieske glunderend aan. 'Waarmee dan? Ga zitten.'

Wieske bleef staan. Ze moesten zo naar de klerenkast, en die was natuurlijk boven. 'Ik heb een jurk nodig, van een oude... waarmee ik ouder lijk. En rimpel-make-up.'

'Rimpel-make-up? Heb je een verkleedpartijtje?'

'Zoiets. Hebt u een jurk?'

'Jawel, maar mijn jurken zijn veel te groot, daar kun jij in kamperen.' Ze legde haar handen op haar buik. 'Chocola. En koekjes. Lekker, maar je krijgt er grote jurken van.'

'Ik kan mezelf dikker maken, met kussens. Die bijvoorbeeld.'

Wieske wees naar de kussens op het blauwe bankje.

'Waarvoor was het ook alweer, zei je?'

Misschien moest ze het maar vertellen. Als het voor iets belangrijks was, zoals vrienden krijgen, zou mevrouw De Vries vast wel willen helpen. Maar het was natuurlijk niet leuk voor haar dat Wieske andere buren wilde. Die spelletjes had ze nu net besteld om zélf leuke dingen met Wieske te doen.

'Ik ga een huis huren,' zei Wieske. 'Mag ik uw jurken zien?'

'Eh... hè? Een huis huren?'

'Ik moet ouder lijken, ongeveer zestig, anders mag ik geen huis huren. Het is heel belangrijk.'

'Maar waarom? Waaróm wil je een huis huren?' Haar ogen waren groot, paniekerig, alsof elk moment de politie op de stoep kon staan, om haar te arresteren wegens een verschrikkelijke huurmisdaad.

'O, gewoon...'

'Wil je alleen gaan wonen?' vroeg mevrouw De Vries. 'Dat kan niet, hoor. Je bent veel te jong.'

'Ik wil niet alleen wonen. Ik ga een gezin zoeken, voor in het huis naast ons. Met kinderen. Dan kunnen we samen spelen.'

'O ja.' Mevrouw De Vries glimlachte. Het was een dappere glimlach. Zo een die niet vanzelf op je gezicht kwam, maar waar je moeite voor moest doen.

'Maar we kunnen ook best een spelletje met *u* doen, hoor.'

'O nee, dat is helemaal niet nodig. Ik doe wel spelletjes met mijn man, meneer De Vries. Die is *dol* op spelletjes. Hij zei gisteravond nog: wat leuk, dat je spelletjes hebt besteld.' Ze glimlachte weer. 'Tja. Ik bof maar, met meneer De Vries.'

'Dus,' vroeg Wieske, 'helpt u me?' Als ze opschoten, konden ze vanmiddag nog naar W&W Makelaars.

Mevrouw De Vries zuchtte en keek Wieske meelevend aan. 'Het kan niet, lieve meid. Geloof me maar. Je kunt er niet uitzien als zestig. Iedereen ziet meteen dat je een kind bent, wat je ook doet.'

'Maar er moet toch een manier zijn?' Ze ging het echt niet zomaar opgeven. Wat moest ze dan?

Mevrouw De Vries haalde haar schouders op. 'Misschien wil iemand anders het voor je huren. Iemand die er wél uitziet als zestig.'

Klak. Het was alsof iemand aan het lichtkoordje trok, in Wieskes hoofd. 'U!' riep ze. 'Wat een goed idee! U ziet eruit als zestig. We doen gewoon alsof u mijn oma bent.'

'O-oooma? Ik?' Mevrouw De Vries keek alsof oma's afschuwelijke types waren, die je maar beter niet kon tegenkomen, zeker niet in het donker.

'Ja, u.'

'Natuurlijk niet. Ik ga thee zetten.' In een mum was ze de kamer uit.

Scheur-chauffeurs

Het was geen sokkenthee deze keer, maar grasthee. Neus dicht en slikken maar weer. Ze had de hulp van mevrouw De Vries nodig. Het was beter om niet te zeggen dat haar thee naar verdord gras smaakte.

Mevrouw De Vries zat weer in haar stoel. Wieske had net verteld hoe het precies was gegaan, tot nu toe. Het buurhuis, dat gewoon sméékte om een gezin. Het *gewenste object*-papier van haar vader. Het betaalpasje. Het telefoontje naar W&W Makelaars. Het 'zestig', dat eruit was gefloept tegen Bea Burger.

En nu dus mevrouw De Vries, die de perfecte oplossing had bedacht.

'We doen dus alsof u mijn oma bent. U betaalt de huur, met het pasje, voor de hele zomer in één keer. Dan stellen ze vast geen vragen.'

'Maar ik bén je oma helemaal niet. We kunnen daar toch niet een potje gaan zitten liegen? Dat mag niet. Je mag geen dingen doen die... die niet mogen.'

Het was duidelijk: mevrouw De Vries moest overgehaald worden. Dat zou wel even tijd kosten. Vandaag nog het huis huren, dat lukte vast niet meer.

'Maar mevrouw De Vries, dit is dus geen liegen. Het is...'

'Wat? *Wat* is het?'

'Het is... frokkelen. Dat is... dat iets niet helemaal de waarheid is, maar wel het beste voor iedereen. Soms *moet* je frokkelen. Want dat is beter. Voor iedereen.'

'Nou, dat zal dan wel, maar ik frokkel niet. Zo ben ik opgevoed.'

Ze moest het beter uitleggen. Zo goed dat mevrouw De Vries wel moest toegeven dat Wieske gelijk had en dat frokkelen soms het beste was. In elk geval nú.

'Mevrouw De Vries, hebt u wel eens dat u iets heel, heel, heel graag wilt?'

'Hè? Eh... ja, vast wel.'

Wieske liet een stilte vallen. Dan kon mevrouw De Vries even nadenken.

'En dat u dat alleen kunt krijgen als mensen een beetje meewerken?'

Mevrouw De Vries staarde naar iets onzichtbaars in de ruimte. Hopelijk dacht ze goed na.

'En dat ze dat niet zomaar doen? Meewerken, bedoel ik. Dat je ze soms een handje moet helpen, met meewerken?'

Mevrouw De Vries' gezicht zag er wat leeg uit. Hoorde ze Wieske eigenlijk wel?

'Meer is het niet, dat frokkelen,' ging Wieske verder. 'Eigenlijk help je andere mensen ermee. Je helpt ze jóú te helpen. Snapt u? Zo zit het dus. We helpen de mensen van W&W Makelaars om óns te helpen, door te doen alsof u mijn o–'

'Weet je wat ik wel eens zou willen?' Mevrouw De Vries praatte met een strak gezicht door Wieske heen, alsof ze helemaal niet hoorde dat die iets aan het vertellen was. 'Een moord plegen. Dát zou ik wel eens willen.'

Wat, een moord? Zei ze dat echt?

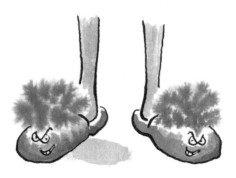

Verstijfd zat Wieske op het bankje. Gif. O jee, die thee smaakte wel heel gek!

Dom, dom, dom, om op bezoek te gaan, in haar eentje. Bij zo'n raar mens. Alleen die roze pantoffels al, met die grote pluimdotten. Pantoffels in de zomer. Dan ben je toch niet helemaal van mejollemmejoepie? Achter was vast een schuurtje, waarin meneer en mevrouw De Vries kinderen vetmestten om ze dan te roosteren op de barbecue.

'Ik *doe* het natuurlijk niet,' ging mevrouw De Vries verder. 'Maar ik heb er soms zin in. Ken je dat?' Ze lachte er niet bij, ze keek bloedserieus. Zo serieus als bloed. Dat van een mes druipt.

'Eh... maar *wie* wilt u dan vermoorden?' Wieske durfde zich nog steeds niet te bewegen.

Mevrouw De Vries was een tijd stil. Ze bewoog niet, maar haar gezicht veranderde, van strakgespannen naar zacht.

'Bromsnor,' zei ze.

Hè?

'Bromsnor, mijn poes. Brom was de allerliefste poes van de wereld. Op een dag vond ik hem, in de berm.'

'Dood?'

'Nog net niet. Aangereden. Overal bloed. Hij keek me aan, met een schuin kopje, alsof hij me vroeg: waarom?' Mevrouw De Vries' onderlip trilde. Of leek dat maar zo? Oude mensen huilden toch niet? Of wel?

'Wat erg,' zei Wieske.

'Daarna kreeg ik Buffel. Dat was ook de allerliefste poes van de wereld. Hetzelfde gebeurde. Alleen lag Buffeltje nog op de weg, toen ik haar vond. Ik zal maar niet vertellen hoe ze eruitzag.'

'Nee.' Het beeld van Bromsnor in de berm was voorlopig genoeg.

'En nu wil ik dus geen poes meer,' zei mevrouw De Vries. 'Nooit meer.'

Het klonk alsof er een punt achter de zin stond. Alsof het verhaal was afgelopen.

'Maar... wie wilt u dan vermoorden?'

'Die rotzakken, natuurlijk!' Ze wees in de richting van de weg, haar vinger leek wel een pijl die afgeschoten werd. 'Die scheurende moordenaars. Ze jakkeren langs in hun dikke auto's, alsof de hele wereld van hen is. Woest word ik ervan.' Even zat ze stil, toen stond ze ineens op en liep weg, de kamer uit. Als ze maar geen geweer ging halen. Nee, natuurlijk niet. Als ze chauffeurs wilde doodschieten, had ze dat allang gedaan.

Daar was ze weer. Ze had een grote reep chocola bij zich. 'Jij ook een stukje?' vroeg ze. 'Lekker, bij de thee.' Ze keek in Wieskes kopje, dat nog vol was, en schonk zichzelf opnieuw in. Daarna brak ze een stuk chocola af en legde dat naast Wieskes kopje. De rest van de reep stak ze in haar mond. 'Mmm.'

Alleen de klok was te horen, en het chocoladebijten van mevrouw De Vries. 'Meestal snoep ik niet overdag,' zei ze. 'Alleen 's avonds. Maar nu had ik opeens zin.'

Plotseling kwam er iets in Wieske op. 'Hm,' zei ze. 'Eigenlijk gek...'

'Wat is er gek?' Mevrouw De Vries' tanden waren bruin gevlekt.

'Dat u wel wilt moorden, maar niet frokkelen. Moorden is veel erger.'

'Nou, ik ga niet écht moorden, hoor. Alleen als fijn fantasietje, heel onschuldig.'

'Maar toch. Die scheurchauffeurs, die gemene kattenkillers, die doen gewoon waar ze zin in hebben.'

'Ja.' Mevrouw De Vries' gezicht trok weer strak.

'En u doet volgens mij nooit waar u zin in hebt.'

'Niet als het niet mag, nee.'

'En zie wat u hebt: twee dode poezen.'

Het was stil. Mevrouw De Vries keek geschokt.

Wieske hield haar adem in. Als ze maar niet te ver was gegaan. 'Lijkt het u niet leuk, gewoon een keer lekker iets doen wat niet mag?'

Mevrouw De Vries haalde haar schouders op. 'Nee, nou ja, nee, maar het zou wel een keer wat anders zijn.'

'Ja. U bent dan 'ns helemaal uit de sleur.'

Mevrouw De Vries stopte het laatste stuk chocola in haar mond.

Tik. Tak. Tik. Tak. Tik. Tak.

Krrnsj. Krrnsj. Krrsnsj.

Mevrouw De Vries stond op. 'Kom, we gaan,' zei ze.

'Wat doen?'

'De boel bedriegen. 't Is halfvijf. Het kan nog net voor slui-
tingstijd.'

Niets-aan-de-hand-stand

Mevrouw De Vries was geweldig. Het was alsof ze nooit anders had gedaan dan liegen en bedriegen. Het was eigenlijk jammer dat er niet eens zoveel gelogen hoefde te worden.

Bea Burger geloofde nu alles. Waarom ook niet? Mevrouw De Vries kwam even het buurvillaatje huren voor haar schoonzoon, Balling Kaaiman, die deze zomer vrienden over kreeg, uit Amerika. Hij had zelf natuurlijk geen tijd, met alle zaken die hij de hele dag moest doen.

'Had ik jou aan de telefoon, vanmiddag?' vroeg Bea aan Wieske.

'Ja,' zei Wieske. 'Oma heeft het heel druk, net als papa, dus ik dacht: ik kan het wel even voor haar regelen. Ik heb vakantie, zij niet. Ze werkt. Heel veel en hard. Maar ze moest toch maar even zelf mee, hè? Dat is beter.'

Bea Burger knikte, glimlachend.

Mevrouw De Vries streek even over Wieskes haar en keek haar vertederd aan, met ogen die zeiden: wat heb ik toch een lieve, lieve kleindochter.

Wieske mocht dropjes pakken, uit de grote pot.

Toen begon Bea over de huur.

'We betalen de hele zomer vooruit,' zei mevrouw De Vries

Ze had het pasje in haar hand.

'Nou ja, twee maanden dus,' zei Bea. 'Kijk, we verhuren liever niet voor zo'n korte tijd, dat is zo'n gedoe. Er komen dus nog wel wat kosten bij.'

'Daar rekende Balling al op. Hij vindt het niet erg.'

Bea keek op haar horloge. Toen liep ze met het pasje naar achteren om de bank te bellen. Alles was goed, volgens de bank.

'Misschien moet ik toch nog even met de heer Kaaiman bellen,' zei Bea. 'Gewoon, voor de zekerheid. Dat alles helemaal oké is.' Ze keek weer op haar horloge. Het was net na vijven, zag Wieske, want ze keek mee.

'Goed, hoor,' zei Wieske. 'Hij houdt er alleen niet zo van om gestoord te worden. Hij heeft vijf... tig besprekingen vandaag. En het is al vijf uur geweest. Maar toe maar, hier is zijn nummer.' Ze trok het papier uit haar broekzak, vouwde het open en gaf het aan Bea.

'Hopelijk wordt hij niet boos, dat ze hem stoort,' fluisterde Wieske tegen mevrouw De Vries, maar wel zo hard dat Bea het ook kon horen.

'Hij is erg aardig, hoor,' zei mevrouw De Vries tegen Bea, en knikte haar vriendelijk toe. 'Hij kan alleen soms wat opvliegend zijn. Dat heb je, met die zakenmensen.'

'Het zal wel meevallen,' zei Bea, en ze pakte de telefoon.

Terwijl Bea de cijfers intoetste, keken Wieske en mevrouw De Vries naar elkaar, en daarna weer naar Bea, hun gezichten helemaal in de niets-aan-de-hand-stand. Onder de tafel pakten ze elkaars hand vast en knepen.

Wieskes vader had zijn directe nummer op het papier geschreven, niet het gewone nummer waarbij je eerst mevrouw Barberus aan de lijn kreeg.

Snel, iets verzinnen. Bea mocht niet over 'de villa' beginnen, papa moest denken dat hij over een fiets werd gebeld.

'Dag, meneer Kaaiman,' zei Bea in de hoorn. 'U spreekt met Bea Burger, van Weenwee-makkeles–'

'Hóóóói pap!' schreeuwde Wieske erdoorheen, zodat Bea's laatste woord niet goed te verstaan was.

'Ik heb hier twee dames in de zaak, die–'

'Papa!! Ik heb een megamíétisch mooie fiets! Vanavond mag je hem zien!'

'... Uw dochter, inderdaad...' Bea glimlachte. 'Jazeker, een heel leuke meid.'

Wieske boog zich naar voren en schreeuwde bij de hoorn: 'Zeg even snel dat het goed is! Ik wil fietsen!'

Bea glimlachte weer.

Wieskes vader praatte, dat was te horen. Maar wát hij zei, dat was niet te horen.

'Goed. Bedankt. Dag, meneer Kaaiman.'

Bea legde de telefoon neer, legde haar handen plat op de tafel en keek van Wieske naar mevrouw De Vries en terug naar Wieske.

Sommige momenten lijken langer te duren dan andere. Dit was zo'n moment dat langer leek. Het leek wel een week. Een week ging voorbij, toen opende Bea eindelijk haar mond en zei: 'Alles in orde. Maar dat wisten jullie natuurlijk al.'

'Jazeker,' zei mevrouw De Vries.

'Natuurlijk,' zei Wieske.

Hun handen glibberden los.

Betalen.

Formulieren.

Klaar.

Springen zonder te springen en gillen zonder geluid. Dat deden Wieske en mevrouw De Vries, toen ze naar buiten liepen.

'Kom mee.' Mevrouw De Vries zwaaide met een onderonsjeslachje de sleutelbos voor Wieske gezicht heen en weer. 'Op naar Villa Wielewaal.'

Mevrouw De Vries leek wel een wielrenner. Wieske kon haar nauwelijks bijhouden.

'Ik heb zó veel energie,' riep mevrouw De Vries. 'Ik weet niet wat me overkomt.'

Bedriegen deed haar blijkbaar goed. Maar dat zei Wieske niet, want ze had haar adem nodig voor het fietsen.

Mevrouw De Vries niet, zij had zelfs nog adem over om de scheurchauffeurs kwaad na te roepen, wanneer er eentje langs stoof.

Boze bloemendans

Op de stoep van Villa Wielewaal gaf mevrouw De Vries de sleutelbos aan Wieske. 'Maar Wieske, wie gaan hier nu eigenlijk wonen?'

Wieske draaide het slot open. 'Dat gaan we zo bedenken. Eerst binnen kijken.'

Het huis was fantastisch. Hoge plafonds, lange gangen en grote trappen. En overal hoekjes, wegkruipruimtes en onverwachte uitkijkjes. Wieske en mevrouw De Vries renden door alle kamers, dansten in het rond en gleden over de gladde vloeren.

Ze stonden stil in het midden van de grootste benedenkamer, met uitzicht op de wilde achtertuin. Die was precies zoals Wieske had gedacht, misschien nog wel mooier. Fruitbomen, klimbomen, bouwbomen, alle bomen die je je kon wensen. En overal bloemen en gras en struiken.

Mevrouw De Vries draaide langzaam een rondje, met haar armen wijd, en zuchtte. 'Geweldig.' Toen stond ze stil en keek Wieske aan. 'Maar hoe krijgen we dit huis ooit ingericht? Het is zo groot.'

'Ingericht?'

'Ja. Als hier mensen komen wonen, moeten er toch ook spullen zijn. Je hebt van alles nodig, als je in een huis woont. Of heb je daar niet aan gedacht?'

'Eh... die spullen kunnen ze toch zelf meenemen?'

'Nou, verhuizen is heel veel werk. Dat doen mensen niet als het alleen maar voor de zomer is.'

Het ene probleem was de deur nog niet uit gewerkt, of het andere stond alweer op diezelfde deur te bonzen.

Wacht 'ns even. Probleem? Helemaal geen probleem. Meneer en mevrouw De Vries. Zij hadden spullen genoeg. Er konden best wat van hun meubels hierheen. Probleem uitgebonsd. Ze hoefden het alleen maar even goed te vinden.

Mevrouw De Vries ontgrendelde de glazen deuren naar de tuin en schoof er een open. 'Er moet heel wat gebeuren,' zei ze. 'Hopelijk hebben die mensen van jou een beetje verstand van tuinieren.'

'Hopelijk niet,' zei Wieske. 'Ik wil dat het zo blijft.' Ze liep naar buiten. Het was zo'n tuin die maakte dat je zin kreeg in verzinnen: alles wat je maar wilde was mogelijk, in deze tuin.

Als je niet alleen was, tenminste.

Als je alleen was, werd je er juist verdrietig van. Al die bomen zonder hut. Al die struiken zonder geheime gangen. Al dat gras zonder picknicks.

Maar zo zou het dus niet zijn, deze zomer. Daar stond Katie straks, bij die boom, en dáár haar zusje Raiza. Ze deden tikkertje, speelden tuinmannetje en plukten bloemen voor al hun ouders. Ze bouwden een hut in een van de oude bomen, en broertje Tom mocht ook meehelpen. Daarna gingen ze doen dat ze in een film speelden, een heel spannende film. De bomen waren vermomde woudrovers en Wieske was de bloemenfee, die iedereen redde.

Maar dan moesten er dus wel meubels zijn.

'Mevrouw De Vries,' riep Wieske. 'Kom eens!'

'Wat is er?' Mevrouw De Vries had een boom staan bevoelen, en kwam nu naar Wieske toe gelopen.

'Ik heb een idee. Ik ga u versieren.'

'Versieren?'

'Met bloemen. Omdat u zo'n goede leugenaar bent. Ik bedoel: frokkelaar. U krijgt de frokkelprijs. Iedereen geloofde u, zelfs ik. Ga maar zitten, oma.'

Mevrouw De Vries keek verbaasd en ook een beetje verheugd. 'Oma? Gek kind.' Ze ging tegen een boom zitten die zo oud was dat hij krom was gegroeid.

Wieske plukte bloemen, grote en kleine, in alle kleuren, en stak ze in het haar van mevrouw De Vries, achter haar oren, in de mouwen van haar jurk, in haar hals en nek en in haar schoenen. Overal waar het maar kon.

'Nu bent u net een bloemenfee,' zei Wieske. 'Helemaal mooi. En ik heb nog een goed idee.'

'Wat dan?'

'Over die meubels. We kunnen beter niet mijn vaders pasje gebruiken om ze te kopen.'

'Nee, natuurlijk niet. Dat zou hij nooit goedvinden.'

'Nou ja, anders gaat het misschien te veel opvallen. Nu dacht ik zo: u en meneer De Vries willen natuurlijk ook wel eens wat meer ruimte.'

'Ruimte? Hoezo?'

'U hebt zo veel spullen. Je kunt nauwelijks lopen in jullie huis, laat staan dansen of andere leuke dingen doen.'

'Nou en?'

'Dus ik dacht: misschien kunnen een paar van die spullen hierheen, zodat jullie–'

'Wat?! Niks ervan!' Mevrouw De Vries' ogen werden zo groot als perziken. 'Dat vindt meneer De Vries nooit goed. Hij... hij is enorm verzot op die spullen.'

'Maar we kunnen het toch vragen? Is hij al thuis? Dan gaan we meteen even.'

'Nee. Hij is er niet. Hij werkt.'

'Wanneer komt hij dan thuis?'

'Dat weet ik niet. Hoe moet ik dat weten? Hij werkt. Veel. Altijd.'

Altijd? Dat was raar. Zelfs haar vader werkte niet *altijd*. Hij kwam elke dag thuis om te slapen, en vaak ook om te eten. Nou ja, soms.

'Dan bellen we hem even,' zei Wieske. 'Hij heeft toch wel een telefoon op zijn werk?'

Opeens stond mevrouw De Vries op, in een woestewolk van onweer. 'Bemoei je met je eigen zaken,' riep ze. Een paar bloemen vielen van haar af. 'Bah, neuzerig kind. Ik ga naar huis. Ik heb dingen te doen.'

Daar ging de donkere woestewolk, met mevrouw De Vries erin, als fleurige oude fee. Ze liep met hoge stappen, snel en langzaam tegelijk, door het lange gras. Het leek wel een boze bloemendans.

Waarom was ze ineens zo kwaad geworden?

Wieske ging tegen de oude klimboom zitten en pakte een blauwe bloem op, die net van mevrouw De Vries af was gevallen. Er was iets aan de hand met die meneer De Vries, iets wat mevrouw De Vries geheim wilde houden. Maar wat?

Daar moest ze later maar eens over nadenken. Nu eerst verder met het burenplan. Dat was het belangrijkst.

Ze had mevrouw De Vries niet meer nodig, gelukkig. Niet echt.

De buren moesten zelf maar meubels meenemen. Zoveel werk was dat heus niet. Je belde gewoon een verhuiswagen met tien mannen erbij, dan was het zo klaar.

Dat probleem was alvast opgelost. Zie je wel dat ze mevrouw De Vries niet nodig had?

Wieske stak de blauwe bloem achter haar oor. Ze strekte haar arm en hield haar hand als een spiegel voor haar gezicht. Tjowie, wat was ze mooi!

Ook daar had ze mevrouw De Vries niet voor nodig.

Morgenochtend ging ze op de fiets naar Ter Broek. Alweer

een goed idee. Daar waren leuke gezinnen genoeg. Het barstte er van de leuke gezinnen. Je kon er geen stap doen, of daar had je weer een leuk gezin.

Wie wilde er nu niet een zomer lang in zo'n mooie villa wonen? Iedereen wilde dat. Het was hartstikke gemakkelijk om mensen te vinden voor in dit huis.

Zie je wel, goede ideeën genoeg, ook zonder mevrouw De Vries.

Zie je wel, ze kon alles, ook zonder mevrouw De Vries.

Het was alleen wel minder leuk zo.

Snotboon

Wieske was veel te lang weggebleven zonder iets te zeggen. Tante was helemaal van slag, ze was bezorgd geweest en had zelfs haar vader gebeld. Die vertelde dat Wieske aan het fietsen was. Hij zei ook meteen dat hij niet thuis kwam eten vanavond, want hij had een paar problemen op zijn werk, die opgelost moesten worden.

Wieske moest dus met Tante mee, een achterlopende Tante. Dat riep ze aldoor: 'Ik loop enorm achter.' Ze zei het er niet bij, maar het klonk alsof dat volgens haar dus Wieskes schuld was.

Bolle Bert, de poes, zat zoals altijd op de grond naast Tantes Han, want daar had hij de meeste kans op eten, wist hij. Tantes Han wierp hem af en toe wat toe, als Tante niet keek.

Tante vertelde over de uitverkoop, die begonnen was. 'Papa, je moet even bij Kerstens Textiel kijken, zaterdag. Ze hebben hemden en broeken.'

Ronda pakte de laatste sperzieboon van Tina's bord, stak hem in haar neus en legde hem terug op het bord.

Tina keek verbijsterd en walgend van de boon naar Ronda. 'Ronda, haal die gore boon van mijn bord.'

'Ik kijk wel uit,' antwoordde Ronda. 'Ik hoef geen snotboon van jouw smerige kwijlbord.'

Tina greep Ronda's hand vast en trok hem naar de boon. 'Pak hem. Anders. Dan.'

'Tina, laat je zusje los en eet je bord leeg,' zei Tante. Dat was een regel in Tantes huis. Je bord moest leeg. Anders mocht je niet van tafel. Ook al duurde het uren. Als je te veel had opgeschept, of je lustte het niet, dan was het de truc om het eten onder de tafel aan Bolle Bert te geven zonder dat Tante het zag.

'Pak die boon!' schreeuwde Tina.

'Eet je eigen bonen op!' schreeuwde Ronda.

'Hou op te schreeuwen,' riep Tante.

Ineens boog Tantes Han zich naar voren, greep de boon van Tina's bord en smeet hem op de grond.

Bolle Bert schrokte de boon naar binnen, snot of geen snot.

'Wat doe jij nu?' zei Tante. 'Je moet dat beest niet voeren, papa. Hij is al zo dik.'

Tantes Han haalde zijn schouders op.

Toen brak de borstelstrijd uit. Het ging over Ronda's borstel, die op geheimzinnige wijze was verdwenen en op even geheimzinnige wijze was teruggekomen. Met haren erin.

Ronda eiste een DNA-onderzoek.
'We zijn zussen. We hebben hetzelfde DNA, domme ezel.'
'Niet! Niet honderd procent, domme mier.'
'Wat is er dom aan een mier, domme koe?'
Alle dochters van Tante waren een stuk ouder dan Wieske, maar dat was vaak moeilijk te geloven. Ronda, de jongste, was net veertien geworden. Tantes dochters hadden Wieskes vurige verlangen naar broertjes en zusjes vaak aan het wankelen gebracht. Was het eigenlijk wel zo leuk?
Maar bij haar zou het heel anders zijn, natuurlijk.

Tantes Han bracht Wieske naar huis, met Tina, die zou oppassen tot Wieskes vader thuiskwam.

Het was goed dat ze juist vandaag bij Tante thuis was geweest, bedacht Wieske toen ze in bed lag. Ze moest niet zomaar een familie vragen, in het wilde weg. Ze moest de goede uitkiezen. Anders kon het helemaal misgaan.
Een familie zoals de familie Hiemstra ten Cate. Die was perfect.
Perfect.
Wieske sloot haar ogen.
Daar, de krant, bij het ontbijt.

In een ver buitenland is de vader van Rosalie, Marianne Fee en Lelie Marleen overleden. Een olifant liep per ongeluk over hem heen. Iedereen is diep bedroefd. Het gezin komt terug naar Nederland. Voor altijd.

Er staat een foto bij van hun moeder. Ze heeft lang blond haar. Wieske legt de krant voor haar vader neer.

'Kijk eens papa, dit is Rosalies moeder.'

Papa vindt haar mooi.

Ze gaan trouwen. De bruiloft is een megamíetisch mooi feest, met een hoop bloemen en jurken. Daarna komt iedereen bij Wieske wonen.

Rosalie zegt: 'Wieske, dankzij jou en jouw vader wil mama niet meer weg. Ik ben zo blij!' Ze valt haar om de hals en knuffelt haar suf.

Haar moeder zegt, met tranen in haar ogen: 'Wieske, jouw vader is veel te lief om nog naar het buitenland te willen. En jij ook. Eindelijk, eindelijk zijn we allemaal écht gelukkig.'

Het was niet zo erg om te fantaseren dat iemand dood was als je die persoon niet kende, toch? Het was ook niet zo dat ze het *wenste*. Het kon gewoon gebeuren, zoiets. Olifanten keken niet altijd uit waar ze liepen.

Kraakgrind, autodeur, trapvoetstappen.

Wieske hield haar ogen dicht. Haarstrelen, daar had ze nu vooral zin in. 'Wielewiekje, slaap je?'

Haar vader sloop de kamer in. Wieske voelde hoe het matras aan haar rechterkant naar beneden gedrukt werd. 'Slaap maar lekker, meisje,' fluisterde hij.

Grote hand op haar hoofd.

Pas na vijf of tien of misschien wel vijftien minuten ging hij weg. Wieske wist niet hoe lang het was, want de tijd voelde anders dan anders wanneer papa bij haar zat en zij deed alsof ze sliep.

Gratis is duur

Eila!
Waar ben je!? Ik ga zo een familie uitzoeken,
voor in het huis naast ons. Ik moet wel
opletten dat ze rustig zijn, want ik hou niet
van ruzie. Waarom antwoord je niet? Hoop dat
er niks ergs is! Zijn er veel wilde dieren,
daar?
Leev sukjes, Ekse

Dit schoot dus niet op. Wieske had al wel twintig mensen staande gehouden in de winkelstraat van Ter Broek, maar het leek wel alsof niemand interesse had in een villa.
Bij het ontbijt had ze een plan bedacht. Ze zou doen alsof ze iemand was die vragen stelde, met een opschrijfmap in de hand. Zo kon ze ontdekken of de mensen rustig genoeg waren, en aardig. Ze had alleen geen map. Wel een schrift.

1. Hoe vaak per week hebt u ruzie?
2. Houdt u van rust of wilt u liever herrie?
3. Hebt u kinderen van ongeveer tien jaar?
4. Houdt u van mooie huizen waar je gratis in mag wonen?

Maar mensen begonnen na de eerste vraag meteen zélf vragen te stellen: *Waar is het voor? Waarom wil je dat weten? Wat gaat jou dat aan?* Dat soort dingen.

Eén vrouw gaf antwoord tot en met vraag drie. Ze had nooit ruzie en hield van rust. Maar toen had ze geen kinderen.

'O,' zei Wieske. 'Dank u wel dan, dag.'

Het was minder gemakkelijk dan ze dacht. Misschien deed ze iets niet goed. Maar wat? Misschien moest ze beginnen met vraag 4. Ja, dat was vast beter.

'Meneer, houdt u van mooie huizen waar je gratis in mag wonen?' Wieske hield haar schrift en pen klaar, alsof ze het antwoord meteen wilde opschrijven.

'Eh... hoezo?' vroeg de man. 'Waar is het voor?'

'Nergens voor. Er is een mooie villa, echt heel mooi, die op zoek is naar zomerbewoners. Hebt u kinderen van ongeveer tien jaar?'

'Eh... ik moet verder. Werken, en zo.'

Wieske liep achter hem aan. 'Er moeten wel kinderen zijn. Anders gaat het niet!'

De man antwoordde niet meer en keek ook niet om.

Ze moest het nóg anders aanpakken. Daar kwam een vrouw aan. Snel iets verzinnen. 'Mevrouw, mag ik u wat vragen?'

'Jawel, waarvoor?'

Waarom wilden ze dat toch allemaal weten?

'Het is voor iets van school,' zei Wieske.

'O ja. Goed.' De vrouw lachte vriendelijk.

Aha, dat was dus een goeie: iets voor school. Terwijl het vakantie was. Je kon mensen ook alles wijsmaken.

'Als iemand u zou vragen of u gratis in een mooie villa wilde wonen, wat zou u dan antwoorden?'

'Eh… ik weet niet. Niks, denk ik.'

'Waarom niet?'

'Ik zou het niet geloven. Niets is gratis. Als ze zeggen dat iets gratis is, ben je vaak een hele hoop geld kwijt. Gratis is meestal duur.'

Dat klonk totaal niet logisch. Het zou wel een volwassenen-denkmanier zijn. Die was soms nogal vreemd, dat had Wieske wel vaker gemerkt.

'En als het dan niet gratis was? Zou u dán in de mooie villa willen wonen?'

'Nou nee, een villa is veel te duur voor mij.'

'Maar als u dan niets hoeft te betalen?'

'Dan zou ik denken dat het een bedriegerstrucje was.'

Begreep ze het goed? De vrouw wilde niet als het gratis was én niet als ze moest betalen. 'Maar hoe krijg ik dan een leuk gezin in de villa?' vroeg Wieske.

'Hoe bedoel je?'

'Gewoon, zoals ik het zeg. Hebt u kinderen van ongeveer mijn leeftijd?'

'Nee, ik heb een dochtertje, van bijna één.' De vrouw knikte in de richting van de kinderwagen die voor haar stond.

O, een kinderwagen. Wieske zag hem nu pas. Ze zuchtte.

'Nou, tot ziens dan maar, dus.'

Bah. Hoe lang moest ze hier nog staan? Hoeveel mensen moest ze nog aanspreken? Wat deed ze fout? Misschien kon ze toch niet zonder mevrouw De Vries. Mevrouw De Vries zag er betrouwbaar uit. Bovendien was ze oud, ze snapte vast die rare denkmanier van *als iets gratis is moet je veel betalen.*

Maar ja, mevrouw De Vries was er niet. En ze zou ook wel

niet meer willen komen. Ook daar had Wieske iets fout gedaan zonder dat ze precies wist wát.

Ze ging op het muurtje bij de kerk zitten. Even uitrusten en nadenken. Misschien was er nog een andere manier om mensen te vinden.

'Tssah, daar heb je die ook weer!'

Wieske keek om. Nee hè, daar liep dat vervelende krulkind van gisteren, met datzelfde plastic tasje, op het kerkhof. En ze kwam háár kant op.

'De koningin van Truttenland. Zonder fietsje, deze keer.'

Wieske ging snel staan, op het muurtje. Dat kind moest niet denken dat zíj de sterkste was, alleen maar omdat ze de stomste en de gemeenste was. Wieske kon net zo stom en gemeen zijn, wacht maar. Ze keek naar beneden, het krulkind kwam tot aan haar buik. Wieske kon haar zo een trap geven, als ze dichterbij kwam.

'Wat doe jij hier?' vroeg het krulkind. 'Je bent alwéér hier.'

'Jij ook,' antwoordde Wieske. 'Wat doe jíj hier?'

'Gaat je niks aan. Ik wou alleen maar even zeggen: het kerkhof is van mij.'

'Hoezo, van jou?'

'Verboden toegang voor iedereen, behalve voor mij. Alleen als je dood bent, mag je hier liggen. Anders niet.'

Het krulkind was inderdaad niet helemaal van jollemejoepie, zoals Wieske gisteren al dacht.

'Ik ben echt niet van plan om daar te gaan liggen, hoor. Ik heb wel wat beters te doen.'

'O ja? Wat dan?' vroeg Krulletje.

Dat ging Wieske haar niet aan haar wipneus hangen. Ze haalde haar schouders op.

'O, dan zeg je het toch lekker niet. Ik kom er toch wel achter.'

Ineens trok het krulkind het schrift uit Wieskes hand.

'Geef terug!'

Het krulkind rende weg, maakte een paar rondjes om wat grafstenen en liep toen terug naar Wieske, die al die tijd op het muurtje was blijven staan.

Gewoon niet op ingaan, dan hield ze vanzelf op met vervelend doen.

Krulletje sloeg het schrift open. *'Eén,'* las ze voor. *'Hoe vaak per week hebt u ruzie?* Nul keer natuurlijk. Want ik zit hier. Hier is het rustig. *Twee. Houdt u van rust of wilt u liever herrie?* Wat zijn dit voor debiele vragen? Wie houdt er nu van herrie?'

'Sommige mensen,' antwoordde Wieske.

'Drie,' ging het krulkind verder. *'Hebt u kinderen van... Hé, vier: houdt u van mooie huizen waar je gratis in mag wonen?* Waar is dat?'

'Wat?'

'Wáár mag je gratis wonen in een mooi huis?'

'Gaat je niks aan.'

'Zeg op!'

'Nee.'

'Dat bestaat helemaal niet, een mooi huis waar je gratis in mag wonen.'

'Nee, dat bestaat niet.'

'Waarom staat het hier dan?' Ze tikte met haar wijsvinger op het papier.

'Pff, waarom *niet?'* Wieske leerde het al, om net zo vervelend te doen.

Krulletje zei niets. Ze gaf het schrift terug aan Wieske, klom op het muurtje en ging zitten. 'Sorry,' zei ze. 'Van gisteren.'

Geen moeilijk gekijk

Wat kregen we nu? Het krulkind kon normaal doen. Zomaar, opeens.

'Ik heet Jodie,' zei ze.

'Ik heet Wieske.' Ze ging naast Jodie op het muurtje zitten.

'Waarom deed je dat, gisteren?'

Jodie maakte een gebaar alsof het niet belangrijk was. 'Tssuh. Soms ben ik gewoon boos.'

'Op wie?'

'Maakt niet uit. Op wie d'r maar langskomt.'

'Waarom?'

'Het is vakantie. Ik haat de vakantie. En toen zag ik jou, op je fiets.'

Wieske knikte, alsof het logisch was. Dat was het natuurlijk niet, maar ergens ook wel. 'Waarom haat je de vakantie?'

'Gewoon, ik vind school leuker dan vakantie. Dat kan toch?'

'Zal wel, maar ik heb het nog nooit gehoord.'

'Jij fietste daar zo... zo *blij*, alsof je alles had. Niet alleen een fiets, maar alles.' Jodie was stil en keek Wieske schuin aan. 'Is dat zo? Heb jij alles?'

'Nou nee, ik heb heus niet alles.'

'Wat niet, dan?'

Een leuke zomer, met massa's vrienden en vriendinnen om mee te spelen, dát was wat ze niet had. Tot nu toe niet, tenminste. Kon ze dat aan Jodie vertellen? Was het slim of juist dom, om iets te zeggen over haar burenplan? Misschien had Jodie een goed idee hoe ze mensen voor in het huis kon vinden. Maar... er was iets met die Jodie. Een vals straatkatje, daar deed ze Wieske aan denken. Nu kronkelde ze om haar benen, maar elk moment kon ze haar nagels weer in Wieskes vel zetten.

Het was beter om het voor de zekerheid maar niet te zeggen. Voor je het wist, ging Jodie haar belachelijk maken: *O, zielig hoor, je hebt natuurlijk helemaal geen vrienden! Nogal logisch, met je stomme fiets!*

'Ik heb geen moeder,' antwoordde Wieske dus maar. Dat was veiliger.

'Hoezo, geen moeder? Iedereen heeft een moeder.'

'Ik niet.'

'Is ze dood?'

'Eh... ja.'

Dat had nog nooit eerder iemand zo gevraagd. Meestal draaiden mensen eromheen, en als dan bleek dat haar moeder dood was, gingen ze moeilijk kijken. Of stotteren. Vaak allebei.

'Hoe dan?' Geen gestotter of moeilijk gekijk.

'Een auto-ongeluk. Heel lang geleden, hoor. Ik was nog maar drie maanden.'

'Zat jij ook in de auto?'

'Nee. Mijn vader wel. Die reed.'

'O. Balen, zeg. Is die ook dood?'

'Nee.'

'Gehandicapt?'

'Nee. Hij had niks. Alleen pijn in zijn nek.'

'Is hij weer getrouwd?'

'Nee.'

Jammer genoeg niet. Want als hij een vriendin kreeg, konden er broertjes en zusjes komen. Haar vader zei dat hij geen
tijd had voor een vriendin. Dat was waar. Hij had al nauwelijks tijd voor háár. Stel je voor dat hij een vriendin kreeg en
dat ze dan leuke dingen gingen doen! Hij en zij samen.
Wieske haatte haar. Nu al.

Toch zou het leuk zijn, een soort moeder. Ze konden van
alles doen, zoals winkelen, naar het zwembad gaan en naar
de kapper. Ze moest gewoon niet papa's vriendin worden,
maar wel háár moeder. Dan was het goed.

Ze is mooi, met lang haar en roze lippenstift. 'Zo Wieske,'
zegt ze. 'We hebben rode sokken met hartjes, zoals je wilde,
nieuwe glimschoenen, en nu gaan we thee drinken.'
'Lekker, thee.'
'Hoe was het op school?'
'Leuk. Ik heb een spreekbeurt gehouden over de Graten.'
'Wat zijn dat?'
'Dat zijn skeletten, van dode vogels. Die vliegen 's nachts.'
'Oeh, wat eng.'
'Nee hoor, niet eng. Ze zorgen dat alles groeit, en zo. Ook de
baby. Wanneer komt ze?'
'Zo meteen, ongeduldig dametje. En o ja, Wieske, jij bent
haar grote zus, dus jij mag haar als allereerste vasthouden.'
Wieske legt haar hoofd zachtjes op de bolle buik. Mmm...

'Joehoe, ik vroeg je wat.'
'Hè, wat?' Wieske keek opzij. Daar zat Jodie.
'Wat was je aan het doen zonet, op straat? Dat vroeg ik.'

'O, niks.'

'Ik zag je. Je praatte met mensen. Waarom?

Zeggen of niet zeggen? Nou ja, wat kon het ook voor kwaad? Als Jodie vervelend ging doen, kon ze gewoon weglopen, toch? 'Ik zoek buren.'

'Hè?'

'Ons buurhuis staat leeg. Ik zoek mensen die er deze zomer in willen wonen. Een gezin, met kinderen.'

'Maar dat kost toch geld?'

'Het huis is al betaald.'

Jodie zat doodstil, er bewoog geen haartje, maar er gebeurde iets met de lucht om haar heen. Je kon er een stuiterbal van kneden. Wieske zag dat ze gewoon probeerde te doen, maar alles aan haar knetterde, zonder geluid.

'Ik weet wel mensen,' zei Jodie, heel gewoon.

'O ja?' vroeg Wieske, ook heel gewoon.

'Ja, heel leuke mensen,' antwoordde Jodie, nog gewoner. 'Geef 'ns.' Ze trok het schrift weer uit Wieskes handen en sloeg het open. 'Precies, ja. Alles klopt. Ze maken nooit ruzie. Ze zijn hartstikke rustig. Ze hebben drie kinderen van ongeveer tien jaar. En ze houden van mooie huizen.'

'Wie zijn het dan?'

Jodie had het natuurlijk over haar eigen familie, maar dat wilde ze blijkbaar niet meteen zeggen. Dat was verdacht. Was er soms iets raars met ze? Het zou Wieske niets verbazen. Een meisje dat zomaar op de weg ging staan vóór een fiets omdat ze boos was op de vakantie, was niet heel gewoon, en haar familie vast ook niet.

Maar wat was gewoon? Was zij zélf gewoon? Nee, niet helemaal, misschien. Met Tante die helemaal geen tante was, het internaat en daarvóór Oekje en de andere kindermeisjes. En met Bloem en Vos, eigenlijk hoorden die er ook bij, ook al waren ze allang verdwenen, net als de kindermeisjes. Nee, helemáál gewoon was het misschien niet. Niet zoals bij anderen, in elk geval.

'Wat lach je? Zullen we even gaan kijken naar dat huis?'

'Goed. Maar ik zeg geen ja. Er zijn ook andere leuke gezinnen die graag willen.'

'O, maar die zijn niet zo leuk als dít gezin. Echt niet.' Jodies lach brak haast uit haar wangen, zo breed was hij.

Zo lang als eeuwig

Jodie mocht fietsen, want dat wilde ze graag, dus Wieske zat achterop. Even later stonden ze op de oprit van Villa Wielewaal.

'Wauw, wat groot,' fluisterde Jodie. 'Kom, we gaan binnen kijken.' Ze pakte Wieske bij haar arm vast en trok haar mee. Wieske stak de sleutel in het slot. Voordat ze de deur helemaal open had geduwd, perste Jodie zich er al langs. Wieske liep naar de grote benedenkamer, ging op de vloer liggen en luisterde naar Jodie, die gillend over elke verdieping rende.

'Wat een geluk,' zei Jodie toen ze weer beneden was. Ze liet zich naast Wieske vallen. 'Eindelijk hebben wij ook eens geluk.'

'Hoezo?' vroeg Wieske.

'Dit huis. Dat we hier mogen wonen.'

'We?'

'Ik, mijn ouders en mijn broers. Twee.'

'O. Je had het dus over jullie.'

'We zijn heel leuk, echt. Ik deed een beetje stom gisteren, op de straat, maar verder zijn we leuk. Vooral mijn vader en mijn moeder en mijn broers. Echt, we zijn zóóó leuk.' Jodie schurkte haar hoofd tegen Wieskes zijkant, alsof ze kopjes gaf.

Zie je wel, een straatkat. Straks zou ze haar klauwen wel weer uitslaan.

'Ik weet het niet. Er zijn nog andere families. Bovendien is het alleen maar voor de zomer, hoor.'

'Die andere families zijn heus niet leuker. Wie zijn het? Dan gaan we ernaartoe. We kunnen wel een wedstrijd doen in leuk-zijn, als je dat wilt.'

'Nee, dat wil ik niet.'

'Wat wil je dan?'

'Ik wil eh... o ja, mevrouw De Vries. Die moet het goedvinden.' Ha. Dat was een goed idee. Het gaf haar wat meer tijd. Jodie *leek* nu wel aardig, en Wieske had geen andere gezinnen, maar toch wilde ze wat tijd. Om na te denken.

'Mevrouw De Vries? Wie is dat?'

'Dat is de buurvrouw.'

'Kom, we gaan het meteen vragen.' Jodie stond op en trok aan Wieskes arm.

'Nee, dat kan niet. Ze is er niet. Ze is... ze is in Amerika.' Dat was nog waar ook.

'Wanneer komt ze terug dan?'

'Geen idee. Ze is er met haar man, meneer De Vries.'

'Op vakantie?' Jodies gezicht betrok. 'Maar dan heeft het toch geen zin, als het alleen maar voor de zomer is? En waarom moet zij het goedvinden?'

'Eh...'

De bel ging. Ha, gered, want Wieske wist even geen antwoord te bedenken. Alleen... wie belde er aan? Niemand wist dat ze hier was.

'Ga je niet opendoen?' vroeg Jodie.

'Nee, het zal wel iemand zijn die iets wil verko...'

Jodie was de kamer al uit gerend.

Even later hoorde ze stemmen. De stemmen werden harder.

Het leek wel...

Ja, dus. Mevrouw De Vries kwam binnen, achter Jodie aan.

'Wat een geluk, hè?' riep Jodie. 'Ze is hier. Ze is niet in Amerika.'

'Nou ja, ik kom er wel net vandaan,' zei mevrouw De Vries.

'We hadden het over u,' ging Jodie verder.

'O ja?'

Wieske stond op. 'Wat doet u hier? Hoe wist u dat ik hier was?'

'Dat gokte ik. Ik was bij je thuis. Je moeder zei dat je weg was, op je fiets.'

'Dat is mijn moeder niet.'

'Haar moeder is dood,' zei Jodie.

'Hè? O, nee toch, ik... wat erg. Sorry, ik...' Mevrouw De Vries' wangen werden rood. 'O, nou ja. Ik wou dus eigenlijk even sorry zeggen. Sorry dat ik zo boos werd, gisteren. Ik weet niet wat er met me aan de hand is. Ik doe normaal nooit zo. Ik–'

'Mevrouw De Vries.' Jodie wapperde de woorden van mevrouw De Vries weg, alsof ze totaal onbelangrijk waren. 'Luister. We hebben een familie gevonden. Voor in dit huis.'

'O ja? Wie dan?'

'Ik. Mijn familie. Wat vindt u daarvan?'

'Eh... tja, dat lijkt me prima. Als Wieske het goedvindt...'

'Wieske vindt het goed, hè, Wieske? Jeeeeej! Joooow!' Jodie schoof de glazen deur naar de tuin open en rende naar buiten. 'Ik ga hier wonen,' schreeuwde ze, terwijl ze door de tuin sprong. 'De hele zomer! Dat is net zo lang als eeeeeeeuwig!'

'Mooi dat je mensen hebt gevonden,' zei mevrouw De Vries. 'Luister, ik heb nagedacht over wat je zei. Ik vind eigenlijk dat er best wat meubels een tijdje hier kunnen staan.'

Hè? Wieske keek van Jodie naar mevrouw De Vries. Nu ineens wel?

'Die Jodie lijkt me heel aardig, met die blonde krulletjes. Haar familie is vast voorzichtig met mijn spullen. Toch?'

'Ik denk het wel. Ze zijn in elk geval rustig.'

'We zijn er nogal aan gehecht, zoals ik al zei.'

Buiten maakte Jodie een serie radslagen in het gras.

'Dus...' Wieske keek vanuit haar ooghoeken naar mevrouw De Vries. 'Meneer De Vries vindt het ook goed?'

Er was niets bijzonders aan mevrouw De Vries' gezicht te zien toen ze antwoordde: 'Ja, hoor, hij vindt het helemaal prima.'

Schilkijken

Ze liepen door de gang van Amerika naar de woonkamer. Mevrouw De Vries had het stickerplan bedacht. Alle meubels die naar Villa Wielewaal mochten, kregen een rode sticker. Morgen kwamen de verhuismannen, die alle bestickerde spullen daar naartoe zouden brengen.

Het ging niet erg snel. Mevrouw De Vries peuterde alle rode stickers die Wieske en Jodie plakten er direct weer vanaf: nee, nee, niet déze stoel, niet dit kastje, niet die lamp, niet, niet, niet. Na een halfuur zat er nog maar één rode sticker geplakt, op een krukje, dat zo klein was dat Wieske het zelf wel naar Villa Wielewaal kon dragen.
'Mevrouw De Vries, nu moet u ophouden,' zei Jodie. Ze zette haar handen in haar zij. 'Als u het niet wilt, ook goed, dan nemen we onze eigen meubels wel mee. Stuur die verhuismannen maar naar ons huis: Begoniastraat 550, in Ter Broek.'
'Nee, nee,' riep Wieske. 'Kom op, mevrouw De Vries, plakken!'
Wieske had er zonet over nagedacht, tijdens het rood stiften van de stickervellen. Jodies familie mocht *niet* hun eigen meubels meenemen. Ze mochten zich niet te thuis gaan voelen, want ze moesten er wel weer uit, aan het eind van de zomer. Stel je voor dat ze dat niet deden, wat dan? Bea Burger zou de politie bellen, en daarna Wieskes vader, en dan zou hij ontdekken wat ze had gedaan.

'Het is moeilijk.' Mevrouw De Vries zuchtte. 'Overal zit een herinnering aan.' Ze zuchtte nog eens, dieper. 'Dit kastje bijvoorbeeld, dat was nog van mijn oma. Ach, oma... Ik zie haar nog zitten. Oma schilde altijd appeltjes voor mij, zo dun, dat je erdoorheen kon kijken.'

'Door de appels?' vroeg Jodie.

'Nee, door de schil.'

'Waarom deed u dat?'

'Wat?'

'Door de schil kijken. Is dat leuk?'

'Nee, ik bedoel gewoon... Laat maar.'

'Als het niet leuk is, waarom deed u het dan?' Jodie plakte een rode sticker op het kastje. 'Uh-uh!' Ze tikte mevrouw De Vries op haar hand. 'Zitten laten!'

Het ging niet echt vlot. Als het zo doorging, stonden ze hier volgende week nog. 'Mevrouw De Vries,' zei Wieske, 'de spullen gaan maar naar twee huizen verderop. U kunt zo vaak langskomen als u wilt, dan doen we een spelletje en dan kunt u ondertussen naar uw spullen kijken. En na de zomer komen ze gewoon weer terug.'

Dat werkte. Het gezicht van mevrouw De Vries ontspande een beetje.

De andere kamers waren al net zo vol als de woonkamer. Na een uur waren ze klaar met het hele huis. Wel meer dan de helft van alle spullen had een sticker. Zelfs mevrouw De Vries keek tevreden. 'Nu is het tijd voor een lekker kopje thee,' zei ze, en wreef in haar handen.

'Ik moet naar huis,' zei Jodie. 'Anders worden mijn ouders ongerust.'

'Ze weten toch wel dat je hier bent? Bel ze anders even.'
Jodie haalde haar schouders op. 'Hoe laat zijn de verhuizers
hier morgen?'
'Om elf uur. Komen jullie helpen?'
'Beter van niet, mijn ouders lopen alleen maar in de weg. Wij
komen wel als alles klaar is. Uur of drie?'
'Ik denk het wel,' zei mevrouw De Vries. 'Moet ik de verhui-
zers ook nog even langs jullie huis sturen?'
'Neuh, we dragen onze eigen tandenborstels wel.'
'Goed. Zeg, Jodie, je ouders weten er toch wel van, hè?'
Jodie grijnsde. 'Bijna. Ik ga ze vanavond verrassen. Ze zullen
waanzinnig blij zijn, dat weet ik zeker. Doei!'

Toen Wieske even later ook naar huis ging, was haar fiets weg.

Eila!
Leef je nog? Of hang je in de bek van een
krokodil? Dan is het natuurlijk moeilijk
om terug te mailen.
Ik heb superleuke mensen gevonden voor
hiernaast!
Maar niet zo leuk als jullie. Ik wou dat
jullie hier woonden. In Nederland zijn ook
zieke kinderen. Kan je moeder die niet
beter komen maken? En voor je vader vinden
we ook wel iets leuks. In het circus, of
zo. Hij houdt toch van dieren?
3feil, Ckse

76

Wieske lag in bed en papa zat naast haar. 'We hebben een nieuw woord, pap, voor in de schatkist. Frokkelen.'

'Wat is dat, frokkelen?'

'Dat vertelde ik laatst. Het is geen liegen. Het is dat je iets zegt wat niet waar is, maar wel goed.'

'O ja. Frokkelen. Mooi woord.'

'En we krijgen buren. Met drie kinderen.'

'O ja? Wat fijn voor je. Zijn ze aardig?'

'Héél aardig. Pap, vertel nog eens van Wendelmoed.' Wieske wist natuurlijk alles al van Wendelmoed, maar het was zo fijn als papa over haar praatte. Dan was het net alsof ze met z'n drieën waren. Wieske moest wel goed oppassen wannéér ze het vroeg. Soms werd hij blij van vertellen over Wendelmoed, maar soms werd hij er verdrietig van. Dat hing ervan af hoe moe hij was.

Haar vader glimlachte. Hij was niet zo héél moe, zag Wieske. 'Wendelmoed was het prachtigste meisje dat ik ooit had gezien. Echt, in geen honderd jaar had ik gedacht dat ik haar kon krijgen. Ik was zo'n stille jongen, ik voel me nooit zo op mijn gemak op feestjes, en zij wel, zij zwierde overal in het rond. Maar toen ik haar had gezien, wilde ik ook ineens, nee, *moest* ik ook ineens naar alle feestjes en alle cafés. Ik *moest* haar zien.'

'En toen wilde je een snor.'

Hij lachte. 'Ja. Maar dat was later, toen we getrouwd waren. Je moeder vond mannen met snorren mooi. Snorren en lang haar. Ik was altijd bang dat ze ervandoor zou gaan met zo'n stoere snorman, op een motor. Dus probeerde ik ook zo'n ding te kweken. Maar er kwamen alleen wat dikke sprieten. Die prikten haar, als we kusten. Dus moest hij weer weg.'

Wieskes binnenbuik kriebelde. Dat ze écht hadden gekust, papa en Wendelmoed van de foto's, haar moeder dus. Er was één foto van papa met stekels onder zijn neus. Het zag er heel grappig uit.

Toen haar vader de deur achter zich dichtdeed, wist Wieske het zeker: dit werd een megamíétisch mooie zomer. En tierelierlijk leuk.

Ganzenkuikens

In de verte klonk een ratelend geluid, dat langzaam harder werd. Wat was dat?

Voor de stoep van Villa Wielewaal stonden Wieske en mevrouw De Vries op Jodies familie te wachten. Jodie zelf was er al. Ze was een halfuur geleden aangekomen op Wieskes fiets, helemaal bepakt met plastic tassen.

'Waar zijn je ouders?' vroeg Wieske.

'Die komen eraan. Zij hebben geen fiets.'

Jij ook niet, wilde Wieske zeggen. Maar dat klonk niet zo aardig. Ze zei dus: 'O. Waarom komen ze dan niet met de auto?'

Kennelijk was dit helemáál verkeerd. Jodie keek alsof ze zou gaan blazen en een klauw in Wieskes gezicht ging zetten. Maar dat deed ze niet. Ze greep zo veel mogelijk plastic tassen en rende naar binnen, de trap op.

'En trouwens, jij hebt ook geen fiets!' riep Wieske haar achterna. Zo.

Wat had ze nu weer fout gezegd?

Jodie had de mooiste, grootste slaapkamer uitgezocht. Daar had ze recht op, vond ze, want het was dankzij haar dat ze hier konden wonen. Het is eerder dankzij míj, dacht Wieske. Maar dat zei ze niet.

Het ratelgeluid kwam steeds dichterbij. Er was niks te zien, want het zicht op de weg werd geblokkeerd door bomen en struiken.

'Wat is dat toch?' vroeg mevrouw De Vries.

Wieske had geen idee.

Het geluid was nu zo dichtbij dat je het bijna aan kon raken.

Ineens kwam er een grote, ronde vrouw de oprit op gelopen.

Daarachter een man, nog groter en ronder dan de vrouw. Allebei trokken ze een volgepakt winkelwagentje achter zich aan. Het ging moeizaam, over het grind.

Ze waren dik.

Grompdonders dik.

Dat mensen zo dik konden zijn.

Hoe kon hun vel dat allemaal binnenhouden? Straks ontploften ze.

Achter hen kwamen twee jongens tevoorschijn, ook allebei met een volle winkelwagen. De jongens waren niet dik, maar gewoon.

Vlak bij Wieske en mevrouw De Vries bleven ze allemaal staan. De man en vrouw puften en hijgden.

'Zo,' zei de man. Zweetdruppels rolden vanaf zijn voorhoofd via zijn neus, wangen en hals zijn hemd in. 'Daar zijn we dan.'

'Ja, daar zijn we dan,' zei de vrouw. Haar blonde haar hing in slappe slierten langs haar gezicht, voor zover het er niet aan vastgeplakt zat. 'Jij bent zeker Wiesje.'

'Wieske,' zei Wieske.

De vrouw stak haar hand uit naar mevrouw De Vries. Wieske zag mevrouw De Vries aarzelen. Ze kon de gedachten bijna op haar voorhoofd lezen: *brrr, wil geen zweethand, maar mag niet onbeleefd zijn, mag niet, mag niet, mag niet. En in die laatste mag niet* pakte ze de hand en schudde hem op en neer.

'Mevrouw De Vries,' zei ze.

'Ik ben Mol,' antwoordde de vrouw. 'En jij?'
'Mevrouw De Vries,' zei mevrouw De Vries nog eens.
'Geen voornaam?'
'Nee.'
Dat was natuurlijk gelogen, iederéén had een voornaam,
maar Mol lachte alleen maar. Ze vond liegen blijkbaar niet
zo erg.
'Dan noemen we je wel "mevrouw",' zei de man. Ook hij stak
zijn hand uit. Mevrouw De Vries aarzelde nu niet en nam
hem meteen aan, waarschijnlijk omdat haar hand ondertus-
sen toch al nat was van het zweet.
'Ik ben Arend-Jan,' zei de man. 'Arend-Jan Bulkenstein.'

'Fijn dat we hier mogen wonen, mevrouw,' zei Mol. 'Heel aardig.'

'Nou, dat komt door Wieske, ik heb er niks mee te maken,' antwoordde mevrouw De Vries.

'Het is alleen voor de zomer, hoor,' zei Wieske. 'Het huis is alléén voor de zomer. Daarna moet het weer leeg.'

'Het doet je vertrouwen in de mensen weer groeien,' zei Arend-Jan.

Wieske vroeg zich af of de eetstoelen van mevrouw De Vries hem wel zouden houden. Die zagen er nogal oud uit, en niet zo stevig.

'Niet iedereen is slecht, Aartje,' zei Mol. 'Dat zei ik toch al? Dit is het bewijs.'

De twee jongens stonden erbij met hun handen in hun zakken en zeiden niets. Mol leek zich ineens te herinneren dat ze bestonden. 'O, en dit zijn onze jongens, Beer en Robbie. Het donkerharige exemplaar is Beer, van Berend Bart, het blondje is Robbie. Hij heet alleen Robbie.'

'En Jodie dan?' vroeg Wieske. 'Heeft zij nog meer namen?'

'Jodoca Andrea. Maar zullen we eerst eens even binnen gaan kijken? Gezellige praatjes kunnen altijd nog.'

Mol en Arend-Jan stapten de stoep op en liepen de deur door, met de jongens achter hen aan, op een rij, als ganzenkuikens achter hun waggelende ouders. De wagentjes bleven op het grind staan.

'Dat is dus de familie Bulkenstein,' zei mevrouw De Vries.

'Ja,' zei Wieske. 'Dat zijn ze dus.'

Ze keken een tijdje naar de deuropening.

'Ze zijn vast heel aardig,' zei Wieske.

Mevrouw De Vries knikte langzaam.

Die avond deed Wieske alsof ze sliep. Terwijl haar vader naast haar zat en over haar hoofd streelde, dacht Wieske aan de hemel.

Vroeger, toen ze klein was, had ze een keer gevraagd waar haar moeder was. Als ze niet hier was, waar was ze dan wel? Papa zei: 'Tja. Sommige mensen geloven dat er een hemel is. Dat mensen daarheen gaan als ze dood zijn. Dat is voor jou misschien ook wel goed, om te geloven.'

'Wat is dat dan, *hemel*?'

Papa vertelde over lieve geesten, die gezellig rondfladderden boven groene weiden met madeliefjes, korenbloemen en klaprozen, en overal zachte engelenmuziek.

'Wat zijn dat, engelen?' wilde Wieske weten.

'Dat zijn die dikke poppetjes die we in de kerstboom hangen,' zei papa.

Dikke poppetjes met trompetten en violen. En Wendelmoed. Samen in de wei. De poppetjes maakten muziek en Wendelmoed danste en zwierde in het rond.

Zonder doekjes

Niemand deed open. Wieske had al drie keer bij Villa Wielewaal aangebeld. Achterom dan maar.
Vanmorgen was ze met zo'n fijn prikkelgevoel in haar buik
wakker geworden. De eerste zomerdag met de buurkinde-
ren. Dat had ze toch maar mooi voor elkaar gekregen. Tussen de fijne prikkels zaten wat nare steekjes, maar die
moesten niet zeuren. Wieske duwde ze naar een hoekje van
haar buik. Zo. Blijf daar maar zitten. Het zou geweldig worden met Jodie, en ook met Beer en Robbie. Met iedereen.
Punt.

De gordijnen aan de achterkant waren gesloten. De schuif-
deur stond wel open, op een kier. Wieske hoorde stemmen:
'Heb jij de honderdhoekjes-wonderdoekjes al geprobeerd,
Nathalie?'
'Jazeker, John. En ze hebben mijn leven totáál veranderd.'
'Hoezo, Nathalie?'
'O, John, álle hoekjes in mijn huis zijn nu in een wíp schoon.
Ik heb zó veel tijd over voor leuke dingen. Voor sport, bij-
voorbeeld.'
'Ja Nathalie, ik zie dat je een stuk slanker bent geworden.'
'Het gaat gewoon vanzelf, John. Het is een wonder. En alles
dankzij deze kleine doekjes. De honderdhoekjes-wonder-
doekjes!'

Wat een raar gesprek. Hadden ze bezoek? Of... wacht eens even, het was de televisie. Dat verkooppraatjesprogramma, hoe heette dat, de Shopshow. Wat gek, er had geen televisie gezeten bij de rode-stickerspullen. Die hadden ze kennelijk zelf meegenomen, in een van de boodschappenwagentjes.

Wieske schoof de deur verder open, duwde het gordijn weg en riep: 'Hallo!'

De tv stond inderdaad aan. De grote, bruine wegzakbank van mevrouw De Vries stond ervoor.

Mols hoofd kwam even boven de bank uit. 'Hoi Wiesje, gezellig, kom d'rin!'

'Wieske, ik heet Wieske.' Ze stapte naar binnen en liep naar de zijkant van de bank. Daar lagen, onderuitgezakt op een rij: Arend-Jan, Beer en Mol. Robbie was er niet.

'Ik heb aangebeld,' zei Wieske.

'O, was jij dat?' zei Mol terwijl ze haar ogen op het scherm gericht hield. 'Wij doen nooit open, hoor.'

'Je weet nooit wie het is,' zei Arend-Jan. 'Of wat ze willen.'

'Kom je voor Jodie?' vroeg Mol.

'Eh... ja. Wat doen jullie?' Domme vraag natuurlijk. Ze keken naar de Shopshow. 'Willen jullie dingen kopen?' vroeg ze er dus maar achteraan.

'Vandaag besteld, morgen in huis,' zei een mannenstem, terwijl Nathalie twee pakken doekjes omhoog hield en de kijker stralend aankeek. Haar blonde haar glom, haar witte tanden blonken.

'Kopen? Nee, hoor. Hoezo?' vroeg Mol.

'Dat is de Shopshow.'

'Je kunt ook kijken zónder te kopen hoor, Wies.'

'Stel je voor dat je alles moest kopen waar je naar keek,' zei Arend-Jan.

'Die doekjes zijn écht saai,' zei Beer. 'Ze zijn nog saaier dan al die andere dingen. Ze zijn het saaist van alles.'

'Als je alles koopt wat je ziet, ga je hartstikke failliet,' ging Arend-Jan verder.

'Dat zijn we nu ook,' zei Mol. 'Zonder doekjes, nog wel!'

Ze lachten allebei hard.

'Ik dacht: misschien heeft iemand zin om iets leuks te doen,' zei Wieske.

'Iets leuks? Wat dan?' vroeg Mol.

'Een spelletje. Of liedjes maken en zingen. In de tuin spelen. Of iets anders, maakt niet uit. Iets leuks.'

'Jodie is boven,' zei Mol. 'Sleur haar maar mee.'

'Daar heeft ze haren voor,' zei Arend-Jan.

Wieske liep naar de gang, rende de twee trappen op naar Jodies kamer en klopte aan.

'Buiten!' was het antwoord.

Hoezo, buiten? Wieske opende de deur en keek naar binnen. Jodie lag op een matras op de grond, met een boek opengeslagen voor zich. 'Buiten. Niet *binnen*, dus.'

'Ik dacht: misschien heb je zin om iets te doen.'

'Ik doe al iets. Ik lees.' Ze bleef in haar boek kijken.

'Ik bedoel: samen. Misschien kunnen we liedjes maken en zingen. Of iets anders.'

'Waarom zou ik?'

'Nou eh... dat was de bedoeling. Ik wilde buren. Met kinderen. Om te spelen.'

Nu keek Jodie op. 'Dus als wij hier willen wonen, *moet* ik met je spelen.'

Zoals Jodie het zei, klonk het niet zo leuk. 'Eh... nou, ja. Nee. Als je niet wilt...'

'Ik wil niet.'

'Maar het was de bedoeling!' O nee, prikkende ogen. Als Wieske *iets* niet wilde, dan was het huilen waar Jodie bij was. Inhouwen, inhouwen, inhouwen.

Jodie keek haar aan. 'Tsuh, kijk nou. Koninginnetje krijgt haar zinnetje niet. Dat wordt janken.' Ze sloeg haar boek dicht, zuchtte, stond op en maakte een buiging. 'Goed dan, majesteit. Wat wilt u doen?'

'Niks!' Alsof ze nu nog iets zou willen. Wieske draaide zich om en liep weg, de trap af.

Jodie kwam vlak achter haar aan, de woonkamer in. 'Wat dan? Zeg het maar. Wij zijn uw onderdanen.'

Wieske liep naar de bank en plofte naast Mol neer. Alles beter dan spelen met die vreselijke Jodie.

'Hé, kom je gezellig televisie met ons kijken?' vroeg Mol.

'Ja.'

'Ga je niet met Jodie spelen?'

'Ze wil niet.'

'Hoezo, wil niet?'

'Ja, hoezo?' vroeg Jodie. 'Ik ben er toch?'

Op de televisie zat iemand in een strak pakje op een vaststaande fiets, zo één die niet vooruitkwam als je trapte. Onzinding. Wat had je aan een fiets die nergens naartoe ging?

'Jodie en Beer, als jullie nu even de tuin in orde maken,' zei Mol.

'Wat?!' zei Beer. 'Ik kan niet, ik kijk tv.'

'Nee!' riep Jodie. 'Dat doe ik dus écht niet!'

'Morgenmiddag komen opa en oma langs. Ga maar naar Muffie en leen daar een grasmaaier.'

'Muffie?' vroeg Wieske.

'Ja, die buurvrouw. Die zonder voornaam, hoe heet ze?'

'Mevrouw De Vries.'

'Ja, Mevrouw. Muffie.'

'Bekijk 't, ik ga géén gras maaien!' riep Jodie.

'Nou, dan ga je maar met Wiesje spelen. Je mag kiezen.'

'Ik word gek van jullie! Pff, ik ga wel naar de Begoniastraat, daar is het tenminste rustig!'

Jodie denderde de kamer door, naar de schuifdeur, zwiepte het gordijn opzij en weg was ze.

Niemand leek het erg te vinden. Niemand keek op van haar rare uitbarsting.

Beer bleef zitten. Dat was het enige lichtpuntje. De kans dat het gras gemaaid zou worden, was klein.

De sta-fiets was maar 219 euro 95, want ze gaven een hele hoop korting.

Zo helemaal niet ik

De twee natte plekken op Wieskes bovenbenen waren al wat
opgedroogd.

Ze had eerst een uur naast de Bulkensteins op de bank gezeten en was toen naar mevrouw De Vries gegaan. Gelopen,
want haar fiets was weer weg. Bij mevrouw De Vries op het
gekrulde bankje had ze opeens haar tranen niet meer kunnen inhouden. Het was net een waterval, volgens mevrouw
De Vries. Die zat naast haar, aaide over haar rug en zei:
'Kindje, kindje, kindje toch.'

Ze bracht thee en platte bonbons. Door haar tranen heen
dacht Wieske: hé, wat een gekke bonbons. Ze waren heel erg
lekker. Ze gaven een soort stil gevoel vanbinnen.

De thee stond er nog, die was ondertussen koud geworden. De chocola was op. De tranen ook.

'Zullen we naar Ter Broek gaan?' vroeg mevrouw De Vries. 'En de allergrootste sorbet bestellen die ze hebben? Ons lekker volproppen?'

Dat klonk goed. Wieske knikte.

'O nee, toch maar niet de grootste,' zei mevrouw De Vries. 'We willen niet zo dik worden als de Bulkensteins, toch?'

Wieske schudde haar hoofd.

'Waarom zouden die mensen zo dik zijn?' Mevrouw De Vries keek voor zich uit en leek niet echt een antwoord te verwachten. 'Dat is toch niet normaal? Heel ongezond, ook. Zorgwekkend, hoor.'

Wieske keek om zich heen. De woonkamer was enorm opgeknapt, nu er zo veel spullen weg waren. Het rook er ook minder sokkig, frisser, alsof de wind er flink doorheen had geblazen. Vanaf het bankje kon Wieske nu de ramen en de achtertuin zien. Er stond een deur open.

'Het is hier nu veel leuker,' zei ze. 'Niet meer zo opgepropt.'

'Ja, dat zei meneer De Vries ook al, gisteravond.'

'Dus het was toch een goed idee, allemaal.'

'Zeker. Ik wil nog wat dingen verschuiven. Misschien kun jij me daar binnenkort even mee helpen?'

'Jawel.' Wieske wilde vragen waarom meneer De Vries haar niet hielp, maar ze slikte het in. Dit was niet het goede moment. Ze gingen ijs eten. Het was beter als mevrouw De Vries nu niet boos werd of haar neuzerig zou vinden.

En meneer De Vries was natuurlijk al oud. Hij kon vast niet zoveel tillen.

'Misschien wil die mevrouw ook wel mee ijs eten, die bij jou

90

thuis laatst met de ramen bezig was. Is dat je stiefmoeder?'

'Nee, dat is Tante Nancy.'

'O. Je tante.'

'Ze is niet echt mijn tante. Ze doet het huishouden en past overdag een beetje op mij.'

'Een beetje?'

'Nou ja, ik ben al groot, nu. Bijna tien. Het is niet meer zo nodig.'

'Vind je?'

'Ja. Vroeger waren er kindermeisjes. Oekje was er. Maar die ging weg, trouwen en kinderen krijgen. Toen kwamen er anderen. Toen ik naar school ging hoefde ik geen kindermeisjes meer.'

'Waarom niet?'

'Er zijn mensen genoeg, de hele dag, op het internaat.'

'Zit je op een internaat?' Ze sprak het woord *internaat* uit alsof het iets smerigs was, wat ze niet in haar mond wilde hebben.

'Eh... ja.'

'En nu het vakantie is, werkt je vader de hele tijd?'

'Nou, niet de héle tijd, hoor. Niet zoals meneer De Vries. Papa slaapt altijd thuis, en soms is hij er 's avonds, en vaak ook wel bij het eten.'

Het was raar. Waarom wond mevrouw De Vries zich zo op? Want dat deed ze, dat was duidelijk te zien. 'We bellen hem,' zei ze. 'En vragen of hij een ijsje met ons komt eten.'

'O, dat doet hij toch niet. Hij heeft geen tijd voor ijs.'

'Dan máákt hij maar tijd.' Mevrouw De Vries pakte de telefoon die op een tafeltje naast de bloemenstoel stond en gaf hem aan Wieske.

Wieske mocht hem alleen bellen als het echt nodig was. Maar... misschien was het wel echt nodig, nu. Als hij wist hoe hard ze had gehuild en hoe stom de buren waren mocht ze misschien wel mee naar kantoor. Dan werd het toch nog een béétje een leuke zomer.

Wieske tikte het nummer in.

'Kaaiman.'

'Hoi pap! Mevrouw De Vries en ik gaan ijs eten. Kom je ook?'

Het was even stil. 'Maar dotje, hoe kom je erbij dat ik ijs kan komen eten? Ik ben toch aan het werk?'

'Maar... maar de buren zijn stom en alles gaat fout en ik...'

De tranen waren toch nog niet op.

Ineens werd de telefoon uit Wieskes hand gerukt. 'Meneer Kaaiman? Uw dochter heeft het moeilijk en ze heeft u nodig. Ze heeft al geen moeder, en dan óók nog geen vader.'

Haar vader zei wat, of probeerde wat te zeggen, Wieske kon niet horen wat.

'Nee, mond dicht. Ik heb *gelijk*. Niks geen ge–eh-eh. Tot zo. De ijssalon in Ter Broek.'

Mevrouw De Vries legde neer. Ze was helemaal gevlekt, vooral in haar hals, en vanaf daar naar boven, in verschillende tinten rood en roze. Ze keek Wieske aan en begon zenuwachtig te giechelen. Wieske lachte half wél mee en half niet. Ze vond het niet leuk dat mevrouw De Vries zei dat ze geen vader had. Ze had hartstikke heus wel een vader! Wél grappig vond ze de rest van het gesprek.

'Wat deed ik nu toch weer?' zei mevrouw De Vries. 'Ik doe de laatste tijd de gekste dingen. Zo... zo helemaal niet ik.'

Op z'n allerverschrikkelijkst

'Als-ie maar niet komt!' Mevrouw De Vries fietste moeizaam, voorovergebogen; ze hadden wind tegen en bovendien zat Wieske achterop. 'Eh... ik bedoel: ik hoop natuurlijk
dat hij komt. Voor jou. Maar ik schaam me dood. Dat kán
toch niet, dat je zo tekeergaat tegen zo'n man?'
'U hoeft niet zenuwachtig te zijn,' zei Wieske. 'Hij komt echt
niet.'
Bijna alle tafeltjes op het terras van de ijssalon waren bezet.
Wieske keek snel rond. Geen papa. Ze gingen zitten onder
een parasol. Mevrouw De Vries bestelde de Coupe Fruitfeest
met banaan, peer, meloen, mandarijntjes, aardbeien, cho-
coladesaus en slagroom. Wieske nam hetzelfde.

Ineens zag Wieske hoe alle hoofden op het terras zich naar de straatkant draaiden. Ze keek om. Er stopte een grote, zwarte auto. Papa!

'Hij is er!' zei ze tegen mevrouw De Vries, die meteen weer vlekken in haar hals had.

Wieskes vader stapte uit, zwaaide, stak de straat over en ging bij ze aan het tafeltje zitten. 'Hé, Wiezewies.' Hij zag er vreemd uit op het terras, een beetje zoals een pinguïn in de tropen. Iedereen had korte broeken, rokken, zonnebrillen en slippers en hij droeg een net pak. 'Doe mij ook maar zo één,' zei hij tegen de jongen met het witte schort, terwijl hij naar de coupe van Wieske wees. Toen gaf hij mevrouw De Vries een hand. 'Balling Kaaiman,' zei hij.

'Hè? O, eh... ja, aangenaam,' zei mevrouw De Vries.

'Had ik u net aan de telefoon?'

'Nou, ja eh... een beetje. Dus.'

Wieske lachte. 'Dat kan niet, iemand een beetje aan de telefoon hebben.'

'Even, bedoel ik,' zei mevrouw De Vries. Haar vlekken kleurden nog roder. 'Even.'

Haar vader bekeek mevrouw De Vries aandachtig. 'Hm,' zei hij. En toen nog eens: 'Hm.'

Mevrouw De Vries keek angstig, alsof ze verwachtte dat hij handboeien tevoorschijn zou halen en haar zou arresteren wegens brutale telefoonpraatjes.

Toen draaide hij zich naar Wieske. 'Maar ik ben hier voor jou. Vertel. Wat is er gebeurd?'

Wieske vertelde alles over de familie Bulkenstein, en zorgde ervoor dat hun verschrikkelijkheid op z'n allerverschrikkelijkst naar voren kwam. Ze zag dat mevrouw De Vries af en toe haar wenkbrauwen naar elkaar trok, wanneer ze de boel iets te veel verfrokkelde.

Een paar stukjes uit het verhaal liet ze natuurlijk weg. Haar vader hoefde niet alles te weten.

Er kwamen geen tranen, dat was jammer. Het was gewoon veel te leuk dat ze hier zat, met papa.

'Wat een vreselijke monsters!' zei haar vader, toen Wieske klaar was met haar verhaal. 'Pech, zeg. Maar ja, wie je buren worden, dat heb je niet in de hand.'

Wieske en mevrouw De Vries schudden allebei hun hoofd. Nee, dat had je natúúrlijk niet in de hand.

'Weet je wat?' vroeg papa.

Wieske zat meteen rechtop. Nu ging hij zeggen: kom maar mee naar kantoor, Wielewiekje. Nu meteen. Ik heb wel duizend enveloppen en die moeten allemaal dicht.

Maar dat zei hij niet. Hij zei: 'Heb je dat betaalpasje nog?'

Wieske knikte.

'Koop een stapel leuke boeken, voor de zomer. Als je leest, beleef je ook van alles, in je hoofd.'

Wieske zakte in, als een opblaasbadje dat lek gestoken wordt. Boeken. Bah.

Boeken gingen altijd over avonturen die zij niet beleefde. Met vrienden die zij niet had.

Haar vader snapte er niks van.

'Ik moet gaan, schat.' Wieskes vader pakte zijn portemonnee, legde een geldbriefje op tafel, gaf Wieske een kus op haar hoofd en groette mevrouw De Vries. Daarna stak hij de straat over.

Het hele terras keek weer, toen hij in zijn auto stapte en weg-reed. Wieske was het gewend. Het kwam doordat hij zo mooi glom. De auto, niet haar vader.

Ze moest zich er maar bij neerleggen: het werd een rot-zomer. Er was niks aan te doen. Ze had alles geprobeerd. Als ze nog wat huilen over had gehad, hadden er misschien tra-nen gestroomd bij deze gedachte, maar er gebeurde niets.
De tranen waren op.
Alles was leeg.

Buikrotjes

'O, zet maar neer, die komt wel op,' zei mevrouw De Vries tegen de jongen met het schort, die de ijscoupe van Wieskes vader bracht.

In stilte lepelden ze samen de coupe leeg. Gek, hoe een stilte zo gezellig kon zijn. Ze aten, keken af en toe op, en glimlachten. En opeens, na de laatste hap, wist Wieske wat ze ging doen. 'Ik ga naar Jodie,' zei ze. 'Ik ga zeggen dat ik niet meer met haar hoef te spelen, of wat dan ook. Ik vind haar helemaal niet leuk. Laat zij maar mooi op haar kamer zitten en haar stomme boeken lezen. Tot het eind van de zomer mogen ze daar wonen, dan moeten ze weg, anders bellen we de politie. Dat ga ik zeggen.'

'Goed zo,' zei mevrouw De Vries. 'Doe het meteen maar.'

'Nu?'

'Ze was toch naar hun huis in Ter Broek gegaan?'

'Ja eh... de Begoniastraat. Maar ik weet het nummer niet.'

'Iets met vijven en een nul. 550, volgens mij. Dat zei ze, toen we aan het stickers plakken waren.'

Wieske zag haar fiets staan, onder de betonnen trap, in de hal van de blauwe Begoniaflat. Dit was dus het goede gebouw. Er stonden meer van dit soort gebouwen, met balkons in andere kleuren – rood, geel en groen – maar dit was de flat met de huisnummers 491 tot 560.

Ze liep de trap op, tot de derde verdieping, want daar was nummer 550. Er hing geen bordje bij de deur met 'Familie Bulkenstein' erop, maar het zou vast wel goed zijn.

Wieske hield haar vinger bij de bel. Gek, het was nog maar een paar dagen geleden dat ze ook zo met haar vinger had gestaan, op de stoep van Amerika. Wat was er veel gebeurd, ondertussen.

Even diep ademhalen.

Ze drukte op de bel en wachtte. Niets. Ze drukte nog eens. Weer niets. Zou Jodie toch niet hierheen gegaan zijn? Wacht eens even, wat zeiden Arend-Jan en Mol ook alweer? *Wij doen nooit open, want je weet nooit wie er staat.* Wieske bonkte op de deur. 'Jodie! Doe 'ns open! Ik ben het, Wieske. Ik moet je iets zeggen!' Haar stem schalde langs de trappen naar boven en naar beneden. Ergens ging een deur open. Iemand schreeuwde: 'Hé, hou je waffel, rottige schreeuwlelijk!!'

De voordeur zwaaide open. Jodie. 'Wat moet je?'

'Gewoon, ik wilde even—'

'Even kijken hoe zielige mensen zoals wij wonen? Natuurlijk. Kom maar binnen.' Jodie trok Wieske aan haar arm naar binnen, een klein halletje door, langs een berg kleding, de woonkamer in. Of was het een slaapkamer? Er stond een tweepersoonsbed.

'Nu heb je het gezien. Kun je lekker lachen, met je verwende vriendinnetjes.'

'Verwende vriendinnetjes?'

'Ja, na het paardrijden, als jullie gebakjes eten, met gouden vorkjes.'

'Ik heb geen paard,' zei Wieske.

En ook geen vriendinnen, hier tenminste niet, wilde ze erachteraan zeggen. Maar dat deed ze niet. Anders leek het net alsof zíj ineens zielig probeerde te doen.

'O, ik bedoelde gewoon op de manege, maar nee, als jij paard zou rijden, zou je er meteen zélf een hebben. Natuurlijk.' Jodie liep naar een andere kamer. Wieske ging achter haar aan. Het was een slaapkamer. Er stonden drie bedden en drie kasten. Veel meer paste er ook niet in.

Op het bed tegen de rechter muur lag een opengeslagen boek. Jodie liet zich op het bed vallen en pakte het boek. Blijkbaar ging ze gewoon lezen, alsof Wieske niet bestond.

'Waarom doe je aldoor zo stom?' vroeg Wieske. 'Ik heb je nooit iets gedaan, hoor.' Er sputterde iets vanbinnen, als vuurwerksterretjes die één voor één werden aangestoken. Haar buik begon genoeg te krijgen van die Jodie-kuren. En de rest van haar ook.

'Ik wil rustig lezen,' zei Jodie. 'Je hebt ons huis gezien, dus ga maar weer weg.'

'Weet je wie er verwend is?' riep Wieske ineens. 'JIJ!' Nu ontploften er buikrotjes.

'Tsuh, zal wel.' Jodie keek in haar boek. Wieskes uitbarsting maakte kennelijk weinig indruk.

Het was stil. Wieske was nog niet klaar met dingen zeggen, maar... wat nu?

'Heb je vriendinnen?' vroeg ze.

'Natuurlijk.'

'Je hebt een vader, een moeder, je hebt broers en vriendinnen, je hebt alles, en toch kun je alleen maar zeuren en vervelend doen! Je bent een verwend kreng. Ik wil wel met je ruilen, hoor.' Dat meende Wieske natuurlijk niet, want dan zou ze haar vader moeten ruilen en dat ging ze mooi niet doen, niet voor duizend ouders, niet voor de hele wereld, maar het was wel lekker om te roepen. 'Nou, ruilen?!'

'Pff.' Nu keek Jodie op. 'Jij weet helemaal niet waar je het over hebt.'

'En jij wel, zeker! Je kent me helemaal niet en je loopt alleen maar stom te doen. Ik vind jou echt een... een verknuttelde druttel!'

'Een *wat*?' Jodie ging rechtop zitten. Daar was het valse straatkatje weer.

'Je hebt me wel gehoord.'

'Zo laat ik mij niet noemen.' Als ze een staart had gehad, was-ie nu dik geworden. 'Zo laat ik mij dus écht niet noemen.'

Jodie keek alsof ze haar wilde bespringen, maar daar was Wieske niet bang voor. Kom maar op. 'O nee?' zei ze. 'Je weet niet eens wat het is.' Zo, die zat.

Jodie keek verward. Natuurlijk kon ze niet weten wat een verknuttelde druttel was, het waren woorden uit de woordenschatkist. 'Ach, wat. Jij. Je bent zelf een... een verdingeste truttel!' Ze ging staan, op haar bed, waardoor ze hoog boven Wieske uittorende. Als Jodie nu op haar zou springen, zou Wieske op de grond vallen en de onderliggende partij zijn. Ze deed een stap achteruit en botste tegen een kast.

Maar Jodie sprong niet. Haar ogen leken... vochtig.

Een kilo pleepapier

Huh? Lekte het dak? Daar moest het vocht wel vandaan komen, want huilen, dat was niks voor Jodie. 'Dit is onze enige slaapkamer,' zei ze. 'Jij kunt je dat niet voorstellen.' Ze sprong op de grond en ging op de rand van het bed zitten.

'Nou, ik kan me het heus wel een beetje voorstellen.'

'Robbie is altijd druk met iets. Autoraceje spelen, en zo. In zijn eentje, maar hij maakt het geluid van tien motoren tegelijk. De rest hangt voor de televisie. De hele dag staat dat rotding aan. Ook al stop ik een kilo pleepapier in mijn oren, dan nog hoor ik het.'

'Gaan ze niet naar hun werk, dan?'

'Hebben ze niet. Ze hadden een bedrijf, maar dat is weg. Sindsdien doen ze niks meer. Ja, eten.'

Het was stil. Wieske ging op het middelste bed zitten. Maar niet al te dichtbij.

'Jij denkt natuurlijk dat ze stom zijn, hè?' zei Jodie. 'Vet, lui en stom.'

'Nee hoor,' antwoordde Wieske.

Dat was behoorlijk gelogen.

'Jawel, dat denkt iedereen. Maar dat zijn ze helemaal niet. Vroeger hadden wij ook een mooi huis. Aan het water. Allemaal een eigen kamer. Grote tuin. En toen was alles opeens weg.'

'Hoe kan dat, opeens?'

Jodie haalde haar schouders op. 'Weet niet. Iets met foute beleggingen, of zo.'

Wieske knikte, ook al wist ze niet precies wat dat waren, beleggingen. Haar vader had die dingen ook, met zijn werk, dus ze hoorde het eigenlijk wel te weten.

'Mijn opa en oma mogen niet weten dat we alles kwijt zijn. Daarom komen ze morgen op bezoek. Mijn vader heeft ze snel gebeld. Wij moeten de hele middag doen alsof dat huis van ons is.'

Wat raar, dat je ging liegen over zoiets. Waarom vonden ze een huis zo belangrijk? Of was het geen liegen, maar frokkelen? Misschien, dat hing van de reden af.

'Waarom?'

'Dat wil mijn vader. Opa moet denken dat hij een enorm succes is. Nou ja, enorm is hij in elk geval wel.'

Wieske lachte, er ontsnapte een snifje aan haar neus. Meteen keek ze naar Jodie, maar die leek het niet erg te vinden. Er zat zelfs iets op haar gezicht wat ook op een lachje leek.

'En je moeder?'

'Mijn moeder wil het liefst weer in het warenhuis gaan werken. Daar werkte ze vroeger. Maar papa wil het niet. Wij horen bij de rijken, zegt hij. De rijken werken niet in het warenhuis. Die hébben een warenhuis.'

'Wij hebben geen warenhuis, hoor.'

'Ze doen niets, maar het hele huis is vol met dat geniets. Er past niks meer bij.' Jodie keek Wieske aan met een dat-snap-je-natuurlijk-wel-blik in haar ogen.

Wieske snapte het niet echt, want ze kende geen huizen vol mensen die niets deden. Maar ze knikte toch maar.

'In de zomer is het 't ergst, want dan is er geen school. En de bibliotheek is dan alleen op dinsdag en vrijdag open.'

'Zit je daarom op het kerkhof?'

'Ja. Of in de kerk, als het regent. Of te warm is.'

'Hm. Dus daarom ben je steeds zo boos.' Wieske stond op en liep naar het raam. Beneden wandelden mensen met honden, op het grasveldje tussen twee flatgebouwen in.

Er kwam geen antwoord. Wieske keek niet om. Ze kende Jodie ondertussen goed genoeg om te weten dat ze haar schouders had opgehaald.

Een grote hond holde blaffend op een oranje kat af. De kat bleef zitten, Wieske kon vanaf hier zien dat hij zich schrap zette. Vlak voor de kat stond de hond stil. De kat had zijn oren plat en sloeg zijn klauw uit. De hond deinsde achteruit, ook al was hij wel tien keer zo groot als de kat en waarschijnlijk ook véél sterker.

Sterk zijn had niet altijd met kracht te maken.

'In plaats van boos te zijn op alles en iedereen, kun je beter iets verzinnen,' zei ze.

'Verzinnen? Wat moet ik verzinnen?' vroeg Jodie.

'Iets, om je ouders te helpen. Dat ze van de bank af komen en iets gaan doen.'

'Wat dan?'

'Dat moet je dus bedenken.'

'Ik weet niks.'

Hm. Dat niksdoenerige, snel-opgeverige had Jodie blijkbaar van haar ouders geërfd. 'Ik ga. Als je wilt dat ik je help, met iets bedenken, hoor ik het wel.'

'Ik hoef geen hulp. Ik zit hier prima. Hier en in Wielewaal.'

'Nu wel, maar na de zomer? En de volgende vakantie? En die daarna?'

Jodie zei niets. Wieske keek niet om. Dat hoefde alweer niet. Ze wist zeker dat Jodie haar schouders nu *niet* ophaalde. Buiten dropen de grote hond en zijn baasje af. De kat keek ze na, heel tevreden.

Toen Wieske de deur van Begoniastraat nummer 550 achter zich dichtrok, had ze een merkwaardig overwinningsgevoel. Ze wist niet wát, maar ze had iets gewonnen. Zo voelde het.

Bobbeltjes, gaatjes, gezichtjes

```
Aleh Aloh Eila!
Wij hebben hier ook olifanten. Ze zitten
in het buurhuis. Als je wilt weten hoe dat
kan, mail me dan!
Of ben je boos? Of ben je dood? Mail dan
ook even. Misschien heb ik iets gedaan of
gezegd waardoor je mij haat. Ik stuur
duizend sorry's, al weet ik nog niet
waarvoor. Maar dan heb je ze vast.
Exxxe
```

Wieske was eerst even naar huis gefietst en zat nu weer bij mevrouw De Vries, die stiknieuwsgierig was: 'Hoe is het gegaan? Wat zei ze? Wat zei jij? O wacht, eerst de thee.'
'O, ik hoef geen thee, hoor.'
'Geen thee? Waarom niet?'
Misschien moest ze het maar gewoon zeggen. Dat eeuwige gefrokkel, ze had er ineens genoeg van. 'Ik vind hem niet lekker.'
'Niet lekker?' De ogen van mevrouw De Vries vlogen wijd open.
'Vies.'
'Vies?' Een paniekerige blik. 'Welke dan?'
'Allebei.'

'Allebei?'

'Ik heb er twee gehad. Die ene smaakt naar oude sokken, die andere naar oud gras.'

Mevrouw De Vries keek alsof ze te horen kreeg dat haar been eraf gezaagd moest worden en aan haar hoofd vastgenaaid. 'Maar... dat zijn mijn allerlekkerste thees. Je moest het lekker vinden, dat was de bedoeling.'

'Ja, dat snap ik.'

'Ik bedoelde het goed.'

'Natuurlijk.'

'O. Nou. Mijn excuses, dan. Het is niet leuk om vieze thee te moeten drinken.'

Wieske zuchtte. Ze was soms wat vermoeiend, die mevrouw De Vries. Eigenlijk was ze leuker als ze boos was. Dan kon het haar even niks schelen wat anderen dachten.

'Nou, ik ga maar wat vieze thee zetten.' Mevrouw De Vries stond op en liep de kamer uit. 'Ik heb ook niks anders,' riep ze vanaf de gang. 'Dus dan moet je maar verdorsten.' Even later kwam ze terug, met de olifantentheepot en één kopje.

Wieske vertelde hoe het bij Jodie was gegaan. Ze eindigde met: 'En ik ben dus vergeten te zeggen dat ik niet meer met haar om wil gaan. Maar dat maakt niet uit. Dit was eigenlijk beter.'

'Gosje,' zei mevrouw De Vries. 'Dus haar ouders zijn hun bedrijf kwijt geraakt. Failliet, zeker.'

'Wat is dat?'

'Dat betekent dat je meer schulden hebt dan geld en bezittingen. Ze verkopen dan alles wat je hebt, zodat je zoveel mogelijk van die schulden toch nog kunt afbetalen.'

'Wie zijn "ze"?'

'Bijvoorbeeld mensen van de rechtbank, of van de geldbank, of mensen bij wie je schulden hebt. Het is heel rottig. Je kunt maar beter zorgen dat je niet meer geld uitgeeft dan je hebt.'

'Behalve als je een pasje van je vader hebt.'

'Hm. Wat ga je nu de hele zomer doen, Wieske?' vroeg mevrouw De Vries.

Daar had Wieske natuurlijk al over nagedacht, onderweg van de Begoniaflat naar huis. Ze wist alleen nog geen antwoord. 'Ik weet niet, ik zie wel.'

'Misschien zijn er leuke cursussen voor kinderen, in Huffelen.'

'Cursussen? Wat voor cursussen?'

'O, van alles. Je bent er even lekker uit. En je ontmoet nog eens wat mensen.'

'Maar wat voor cursussen dan?'

'Ach nee, het is zomer. Er zijn geen cursussen in de zomer. Laat maar.'

'Hebt u wel eens cursussen gedaan?'

'Jawel, hoor.'

'Wat dan?'

'O, gewoon. Schilderen, bijvoorbeeld. Kerstkaarten maken. Knuffelbeesten naaien, thee mengen, papier scheppen, boetseren, sieraden maken, negentiende-eeuwse kunstgeschiedenis, haiku's schrijven – dat zijn kleine Japanse gedichtjes – familiestambomen uitzoeken, bonbons maken, tuinbloe–'

'Maakt u zelf bonbons?'

'Ja, dat kan ik best goed, al zeg ik het zelf.'

'Die bonbons van vanmiddag, had u die zelf gemaakt?'

Mevrouw De Vries knikte.

'Die waren hartstikke lekker. En grappig. Plat.'

'Ja, ik verzin zo mijn eigen vormpjes.' Mevrouw De Vries keek vrolijk. 'Ik heb ook bonbons met bobbeltjes, gaatjes, gezichtjes, van alles.'

Ze kwam jammer genoeg niet op het idee om wat van die bonbons te halen.

'Zullen we dan maar een spelletje doen?' vroeg Wieske. Iets anders kon ze op dit moment niet verzinnen. Ze had geen zin om alleen thuis te zitten. Zolang Rosalie niet antwoordde op haar mails, moest ze het helemaal alleen met mevrouw De Vries doen.

En misschien kreeg ze later nog bonbons.

Vroeger was alles veel gemakkelijker, dacht Wieske toen ze in bed lag. Als ze zin had in de dierentuin, bedacht ze een dierentuin. Het was er niet druk, zoals in de normale dierentuin, ze kon alle dieren goed zien, en als ze er genoeg van had, liet ze gewoon de leeuwen los. Dan gebeurden er opeens weer heel andere dingen. Als ze zin had in de speeltuin, dan sleepte ze net zolang met meubels en spullen tot ze een superspeeltuin had. En als ze geen zin had om alleen te spelen, riep ze Bloem, haar binnenvriendin, die onder haar bed woonde. En als Bloem niet wilde, ging ze naar Vos, haar buitenvriend. Vos woonde in een holte in de oude eikenboom.

Toen Wieske naar het internaat ging verdwenen Bloem en Vos. Niet meteen, maar langzaam. Soms, in de vakantie, voelde Wieske zich alleen, en dan verlangde ze naar haar oude beste vrienden. Ze probeerde ze dan te zien, maar ze bleven vaag, alsof haar ogen niet meer scherp konden kijken. En áls ze ze dan zag, dan leek het net alsof ze ze verzon.

Op het internaat ging ze met alle kinderen om, maar ze had geen beste vrienden meer. Niet zoals Bloem en Vos. Totdat de zusjes Hiemstra ten Cate op school kwamen. Toen had ze er opeens drie. Met Rosalie als de allerbeste. Rosalie en zij waren allebei het alleenst, en dus waren ze samen het samenst.

Haar vader kwam de trap op. Wieske deed haar ogen dicht.

Keihard nietsdoen

'Er is iemand voor je,' zei Tante.

Wieske zat een boterham te eten, met chocoladevlokken. Ze veerde op. Iemand? Wie? Rosalie?

Stel je voor: Rosalie komt binnen en vliegt haar om de hals: O Wieske, mijn computer was weg, opgegeten door een krokodil, dus ik kon je niet antwoorden. Ik ben meteen met het vliegtuig hierheen gekomen, want ik was bang dat je zou denken dat ik je vergeten was, en...

Daar stond Jodie. Er was iets anders aan haar, Wieske zag het meteen. Wat was het?

Aha, dát was het!

Ze keek Wieske aan *zonder* de jij-interesseert-mij-dus-niet-blik in haar ogen.

Ze keek alsof Wieske haar wél interesseerde.

'Hoi,' zei Wieske.

'Hoi,' zei Jodie.

'Boterham?'

Jodie schudde haar hoofd en ging zitten. 'Ik heb nagedacht,' zei ze. 'Misschien is het toch wel een goed idee, dat we iets verzinnen om mijn ouders van de bank te krijgen.'

'Tja... hm.' Wieske probeerde te kijken alsof ze haar laatste hap boterham veel belangrijker vond dan Jodie en haar ouders. Ze duwde het brood in haar mond.

'Dat ze weer iets gaan doen, bedoel ik.'

Wieske kauwde langzaam op haar brood en knikte, ook langzaam.

'Weet je al wat?' vroeg Jodie.

'Hm.'

'Waarom zeg je niks?'

'Ik denk,' zei Wieske, tussen twee kauwen door.

'Over mijn ouders?'

Ze slikte door. 'Nee, over of ik je wel wil helpen.' Ze harkte de vlokken op haar bord met haar vingers bij elkaar.

'Dat zei je toch, gisteren?'

'Dat was gisteren. Vandaag denk ik: pff, alsof jij ooit leuk hebt gedaan, tegen mij. Je steelt mijn fiets, je–'

'Leent.'

'En je... ach, laat ook maar.' Wieske kon nog wel honderd andere dingen noemen die stom waren aan Jodie en alles wat ze deed. Maar eigenlijk had ze veel meer zin om iets te bedenken om die ouders van de bank te krijgen. Ze zette het bord aan haar mond en liet de vlokken naar binnen glijden.

'Kom, we gaan eerst naar mevrouw De Vries.'

'Waarom?'

'Ik heb gisteren beloofd dat ik zou helpen met de meubels. Ze wil ze wat leuker neerzetten, nu er een hele hoop weg is.'

Wieske keek tevreden rond. Amerika was hartstikke gezellig, nu. Jammer dat aan het eind van de zomer alle spullen weer terugkwamen. Ze zaten in het zitje en dronken appelsap.

Jodie zat in de bloemetjesstoel naast die van mevrouw De Vries, en had mevrouw De Vries net verteld dat ze iets gingen bedenken om haar ouders van de bank af te krijgen. 'Mensen denken altijd dat ze dom, vet en lui zijn,' zei Jodie. 'Maar dat zijn ze niet.'

'Nee, natuurlijk niet,' zei mevrouw De Vries.

'Ze zijn niet dom. En ook niet lui. Als ze iets doen, doen ze het *helemaal*, niet half. Als ze werken, werken ze keihard, allebei. Als ze niets doen, doen ze dat ook... keihard.'

Mevrouw De Vries knikte. 'Ik snap het. Ze doen alles vol overgave. Ook nietsdoen.'

'Maar ze zijn dus niet lui.' Blijkbaar was het belangrijk voor Jodie dat iedereen dat wist.

Mevrouw De Vries knikte nog steeds. 'Mensen zitten niet stil omdat ze lui zijn, mensen worden lui omdát ze stilzitten. Als je iets gaat doen, krijg je vanzelf zin om méér te gaan doen. Zo werkt dat. Ze moeten dus even in beweging komen.'

'Maar hoe?'

'Wat vinden ze leuk? Misschien kunnen ze een cursus doen. Dat helpt mij altijd.'

'Maar het is zomer,' zei Wieske. 'Er zijn geen cursussen, toch?'

'Nou ja, ná de zomer.'

'Het moet nú,' zei Jodie. 'En cursussen... Ik weet niet, hoor. Dan moeten ze daar naartoe. Ze hebben er trouwens ook geen geld voor.'

Mevrouw De Vries keek nadenkend naar het raam, Jodie prikte met haar vinger in de stoelleuning.

'Ik weet wat,' zei Wieske. 'We maken de cursus gratis en brengen hem naar ze toe.'

'Hè?' vroegen mevrouw De Vries en Jodie tegelijk.

'Dat kan, als ú de cursus geeft, mevrouw De Vries. U kent er wel duizend. Er zit vast wel iets bij wat ze leuk vinden.'

'Ik? Nee, dat gaat niet, hoor. Echt niet. Ik weet van heel veel een beetje, maar van niks heel veel.'

'Wat maakt dat uit? En trouwens, u weet van bonbons maken wél heel veel. Die zijn hartstikke lekker.'

'Bonbons maken?' vroeg Jodie. 'Dat vinden mijn ouders misschien wel leuk. Mijn moeder in elk geval. Die houdt van chocola.'

'Ik vind het niet zo'n geschikte cursus voor je ouders,' zei mevrouw De Vries. 'Ze eten al veel te veel. Al die bonbons gaan ze vast zelf opeten.'

'Nou en? Ze eten toch wel te veel, of het nu bonbons zijn of iets anders. Ik vind het een superplan.'

'Laten we de eerste les meteen doen,' zei Wieske. 'Wat hebben we nodig?'

'Ja, schrijf even op,' zei Jodie. 'Wat moeten we kopen? En wie heeft er geld?'

'Ho ho,' zei mevrouw De Vries. 'Niet zo snel. Ik heb nog geen ja gezegd.'

'Maar u heeft wel ja *gedacht*,' zei Jodie. 'Ik zag het u denken.'

Dat moest verzonnen zijn, want je kon iemand niet zien denken, maar blijkbaar had Jodie goed gegokt. Mevrouw De Vries lachte, pakte een papiertje en begon te schrijven.

Aanpappen met Frank

Eindelijk ging alles eens gemakkelijk. Arend-Jan en Mol stribbelden niet tegen: ze wilden wel bonbons leren maken, ze vonden het zelfs geinig. En dan hadden ze meteen ook iets lekkers om de visite aan te bieden, die middag.

'Hé, poep in een pannetje,' zei Robbie, toen hij de smeltende chocola op het vuur zag. Mol gooide hem de gang op voordat hij meer poeppraatjes kon bedenken. 'Ik wil het fris houden,' zei ze op besliste toon, en lachte. Ze had duidelijk zin in de cursus. Dit ging goed.

Jodie had niets te veel gezegd, over haar ouders. *Als* ze iets deden, deden ze het goed. Ze stortten zich er helemaal in. Het leek alsof ze voor alle mensen in alle kleuren Begoniaflats bonbons wilden maken, in alle verschillende smaken en vormen. Ze deden het bepaald niet netjes – de hele keuken zat onder de chocola, en zij zelf ook – maar ze maakten prachtige bonbons. Vooral Mol had talent, dat was duidelijk. Muffie Chocoladejuffie, zoals ze mevrouw De Vries nu noemden, kon ze niet bijbenen. Binnen een paar uur stonden er vijf schalen vol heerlijke bonbons.

Ongelooflijk, het plan werkte. En sneller dan Wieske had durven denken. Hoe was het mogelijk, al na één les!

'Wat fijn, om weer eens iets leuks te doen,' zuchtte Mol, toen ze de keuken aan het schoonmaken waren. Er zat chocola

in d'r haar geplakt. 'Ik wil dit vaker doen. Gezellig ook, zo samen, met z'n allen.'

Wieske zag alleen Jodies achterkant, maar haar glimlach was zo enorm, dat hij gewoon door haar rug heen kwam.

Mevrouw De Vries keek tevreden. 'Ik vond het ook leuk,' zei ze. 'Misschien hebben jullie morgen zin in een cursusje tuinarchitectuur? Of Japanse vouwkunst?'

'Nee,' zei Mol.

En Arend-Jan zei ook: 'Nee.'

Hè? Dat had Wieske niet gedacht. Ze leken zo enthousiast. Ze zouden toch niet gewoon weer voor de televisie gaan liggen?

'Ik wil meer leren over bonbons,' zei Mol.

'Ik ook,' zei Arend-Jan, met een reuzenlach. Hij legde zijn hand op Mols arm. 'Ik zie het helemaal voor me, Molliebols. We gaan in de bonbon-bisnis.'

Mol keek hem geschrokken aan. 'Aartje, dat kan toch niet? Een bedrijf beginnen kost geld. We hebben niks. We krijgen ook niks.'

Arend-Jans lach smolt weg, als chocola in de pan. Hij draaide zich om en keek uit het raam. 'Vuddulleme,' zei hij. Mol sloeg haar armen om hem heen, voor zover dat lukte, en legde haar hoofd even tegen zijn rug. 'Als ik nu een tijdje in het warenhuis ga werken, dan–'

'En dan zeker aanpappen met Frank van Galen.' Arend-Jan schudde Mol van zich af, pakte een van de bonbonschalen en liep de keuken uit. Even later hoorde Wieske de televisie. Wie was Frank van Galen nu weer? Nou ja, het deed er niet toe. Arend-Jan lag weer op de bank. Met bonbons.

'Wat nu?' vroeg Jodie, toen ook Mol met bonbons naar de woonkamer was verdwenen. 'Het werkt niet.'

'Het werkt wél,' zei Wieske. 'We hebben wat meer tijd nodig, denk ik.'

'Laten we morgenochtend de tweede les doen, dat zijn de moeilijkere bonbons,' zei mevrouw De Vries. 'Daarna zien we wel verder.'

'We moeten iets verzinnen, om geld te krijgen,' zei Jodie. 'Hoeveel geld zou je nodig hebben om een bonbonbedrijf te beginnen?'

'Misschien weet mijn vader dat,' zei Wieske. 'Zal ik het hem vragen?'

'Jouw vader heeft geld zat,' zei Jodie. 'Kan hij niet wat geven?'

'Eh... ik weet niet. Misschien.'

'Nou, mensen geven meestal niet zomaar geld weg, hoor,' zei mevrouw De Vries.

'Waarom niet, als ze genoeg hebben?' vroeg Jodie.

'Tja...' zei mevrouw De Vries. 'Misschien zijn ze bang dat ze dan zelf te weinig overhouden.'

Er gleed een grote, grijze auto over de oprit naar de villa toe, zag Wieske door het keukenraam.

Jodie zag het ook. 'Opa en oma,' riep ze, en rende naar de woonkamer. Wieske en mevrouw De Vries liepen achter haar aan.

Het nieuws over de komst van opa en oma zette Arend-Jan en Mol nog harder in beweging dan de bonbonles. Ze liepen gehaast rond: opa en oma waren te vroeg, de koffie was nog niet klaar, de kinderen hadden nog niet allemaal gedoucht, Mol had chocola in haar haar, de tuin... DE TUIN! Nou ja, ze woonden hier nog maar net, dat moesten pa en ma maar

begrijpen, ze hadden nog helemaal geen tijd gehad en en
en...
Wieske en mevrouw De Vries vertrokken door de schuifdeur.

'Pap, kun jij de buren niet wat geld geven?' Wieske lag in
bed, haar vader zat naast haar.
'Hè?'
'Gewoon, een miljoen, of zo. We hebben zelf nu wel genoeg.
Toch?'
'Maar je vond de buren toch vreselijk? Gisteren was er nog
een groot drama. Ik moest zelfs van mijn werk komen.'
Dat was waar ook. 'O, nou ja, ze vallen toch wel mee,' zei
Wieske. 'Een beetje.' Als papa nu maar niet boos werd. Ze
mocht hem niet storen om niks, want zijn werk was belang-
rijk.
Maar hij werd niet boos. Hij glimlachte zelfs, alsof ze iets
schattigs had gedaan. 'Soms lijk je ineens zó op je moeder,'
zei hij.
'O ja? Hoezo?'
'Die kon ook doen alsof de hele wereld instortte, en tien minuten later was er weer niets aan de hand. Ik snapte daar
nooit wat van.'
Wieskes borstkas brandde bijna open, zo gloeide haar hart.
Ze leek op haar moeder! Ze had zó vaak urenlang de foto's
bekeken, en ze kon nooit veel gelijkenis vinden, maar nu
ineens leek ze tóch op haar moeder, in iets.
'Maar waarom moet ik die buren geld geven? Ik dacht dat
het luie, vraatzuchtige reuzenmonsters waren. Ze aten elke
dag twee koeien en een varken op, aan hamburgers en andere vette troep, dat zei je.'

'Eh... nou ja, ze zijn best wel aardig, hoor. Als ze wat geld hebben, kunnen ze weer iets dóén, in plaats van op de bank hangen, met pizza's en patat.'

Haar vader lachte en schudde zijn hoofd. 'Het heeft geen zin om mensen zomaar geld te geven. Als ik ze een miljoen geef, dan kopen ze daar honderdduizend pizza's van en eten door tot ze uit hun huis getakeld moeten worden. Ze moeten zélf iets willen doen.'

'Maar ze willen! Ze willen een bedrijf beginnen.'

'Als ze echt willen, maken ze een goed plan en stappen ze naar de bank, om geld te lenen.'

Papa zag er moe uit. Dan waren de bobbels onder zijn ogen groter dan anders. Het was een tijdje stil. 'Pap,' zei Wieske toen. 'Kun je niet een keer vrij nemen van je werk?'

'Dat gaat niet, met zo'n bedrijf. Ik moet er zijn. Anders loopt de boel in de soep.'

'Misschien valt het best mee, met die soep.'

Haar vader gaf haar een kus en stond op. 'Slaap lekker, snoesje.'

Dikke nacht

Wieske had nog uren liggen denken en denken.
Hoe kreeg ze Arend-Jan en Mol van de bank af?
Hoe zat het met die meneer De Vries?
Wat was er met Rosalie?
Ze was opgestaan en naar haar vaders kamer gelopen. Een poosje stond ze bij zijn bed en keek naar het op en neer gaan van de deken. Maar ze durfde hem niet wakker te maken deze keer. Ze moest de problemen alleen oplossen, hij had het al druk genoeg.
Toen ze weer in bed lag, ging ze gedachten vangen en door-krassen in haar hoofd. Dat lukte. Arend-Jan en Mol moesten maar voor zichzelf zorgen. *Krrgr-kggrr.* Dat was het krasge-luid. Meneer De Vries, wat kon die haar eigenlijk schelen? *Krrgr-kggrr.* Bleef alleen het probleem Rosalie over. Wieske kreeg het niet te pakken, het bleef maar rondsuizen.

Rosalie
Het is dikke nacht om mij heen, doodzwart en loodzwaar. Alles is stil, behalve mijn hoofd. Het rent maar door. Waar ben je? We zouden toch mailen?
Misschien heb je nu massa's leuke buitenlandse vriendinnen, met wie je door het oerwoud danst, en ben je mij vergeten.

Als je geen vriendinnen meer wilt zijn,
zeg het dan.
Dan weet ik dat.
Ik heb ook een nieuwe vriendin, hoor. Een
hele leuke.
Wieske

Hoi hemelmama Wendelmoed
Ik lijk op jou, zegt papa! Leuk, hè?
Papa heeft wel eens verteld dat je heel
graag kinderen wilde. En dat er vast meer
waren gekomen, als je niet dood was
gegaan, door die stomme auto die tegen
jullie aan reed. Kun je nog kinderen
krijgen als je dood bent?
Misschien heb ik wel hemelbroertjes en
-zusjes. Die zijn dan van een andere vader,
een geestvader. Maar half is beter dan niks.
Alles gaat eigenlijk best goed, nu. Toch
voel ik me rot, ik kan niet slapen. Ik weet
niet waarom. Alles gaat steeds NET anders
dan ik wil. Alsof ik er steeds NET niet
bij kan. Alsof mijn armen NET te kort zijn.
Nou ja, je zit natuurlijk niet te wachten
op mails over korte armen. Ik weet niet
precies wat ik bedoel. Ik wou alleen maar
even zeggen dat papa zei dat ik op je
lijk. Want dat zei hij. Ik lijk op jou.
Kusjes van
Wieske Evelien

Hoe stuur je een mail omhoog? Naar wendelmoed@he-mel.com? Daar moest ze later maar eens over nadenken, want nu was ze te moe.

Terwijl Wieske nog aan de ontbijttafel zat, was Tante de vaat al aan het afspoelen om hem daarna in de afwasmachine te kunnen zetten. Wieske was laat opgestaan, en Tantes dagschema moest niet in de war komen.

De deurbel ging. Wieske holde erheen, want Tante had natte handen.

Het was Jodie. 'Hoi.'

Jodie kwam alwéér langs, uit zichzelf. Misschien had Wieske per ongeluk niet gelogen tegen Rosalie, en had ze écht een nieuwe vriendin. 'Hoi. Hoe was het gisteren, met je opa en oma?'

'O, wel leuk. Hebben jullie misschien een kattenbak, of zo?'

'Een kattenbak? Waarvoor?'

'Voor mijn ouders, om in te poepen.'

'Hè?'

'Voor een kat natuurlijk, waar anders voor?'

'Hebben jullie een kat, dan?'

'Ja. Een puppy. Cadeautje van opa en oma. Dat leek ze leuk voor in ons nieuwe huis, leuker dan een plant.'

'Een jong katje is een kitten, geen puppy. Maar na de zomer moeten jull–'

'Ja, dat weet ik ook wel.'

'Waar moet het katje dan heen?'

'Gewoon, mee.'

'Naar zo'n klein flatje? Is dat niet–'

'Heb je nou een kattenbak of niet?'

'Nee. Maar misschien mevrouw De Vries wel. Die heeft poezen gehad.'

'Dan ga ik daar wel vragen.'

'Ik ga mee. Mag ik daarna het poesje zien?'

Mevrouw De Vries had inderdaad een kattenbak. 'Je mag hem hebben, die bak,' zei ze tegen Jodie. 'Ik wil nooit meer een poes. Hoe heet hij?'

'Ik weet niet. Katje, denk ik.'

'Gaan we straks de tweede bonbonles doen?' vroeg Wieske.

Mevrouw De Vries schudde haar hoofd. 'Arend-Jan en Mol zijn er niet.'

'Waar zijn ze dan?'

'Geen idee. Maar ze hebben vanochtend vroeg mijn autootje geleend. Ze moesten ergens heen. Met grote haast, blijkbaar.'

'Weet jij waar ze zijn?' vroeg Wieske aan Jodie.

'Nee,' antwoordde Jodie. 'Boodschappen doen, misschien.'

'Ze doen in elk geval iets,' zei mevrouw De Vries. 'Ze liggen niet voor de tv. Dat is mooi. Misschien heeft de bonbonles toch al een beetje geholpen. Ik zal de kattenbak even halen, die staat in de schuur.'

Toen mevrouw De Vries terugkwam, stond haar gezicht bedrukt. Ze gaf de bak aan Jodie.

'Wat is er?' vroeg Wieske.

'Ach niks, ik dacht aan... ik maak me zorgen om Katje. De auto's...'

O ja, de auto's. Wieske knikte. 'We moeten iets verzinnen waardoor de auto's langzamer gaan rijden.'

'We kunnen stenen naar ze gooien,' zei mevrouw De Vries.

'Ik heb nog wel een stapel, in de tuin.' Ze vrolijkte duidelijk een beetje op van deze gedachte.

'Stenen gooien?' Jodie keek stomverbaasd. Zij had mevrouw De Vries natuurlijk nog nooit meegemaakt als het om de voorbij scheurende auto's ging.

'Dat meent ze niet, hoor,' zei Wieske tegen Jodie. En tegen mevrouw De Vries: 'Dat is gevaarlijk. We willen niemand dood hebben, toch?'

'Of we gaan 's nachts naar Ter Broek en gooien suiker in de benzinetanks van alle auto's. Dan werken ze niet meer.' Mevrouw De Vries keek nu weer helemaal blij.

'Alle auto's?' vroeg Wieske. 'Dat is een beetje veel werk.'

'Bedenken jullie maar wat,' zei Jodie. 'Ik ga naar huis.'

'Ik ga mee,' zei Wieske. 'Ik wil Katje zien.'

'Ik ook,' riep mevrouw De Vries.

Een cursusje kat

In Villa Wielewaal zat Beer op de grond; hij bewoog het elektriciteitssnoer van de televisie heen en weer. Een klein oranjebruin-wit katje met grote oren vloog erachteraan.

'Ik kon niks anders vinden,' zei Beer. 'En hij wilde per se spelen.' Op Beers wang zat een gezwollen rode streep. Op zijn hand zat een kriskras-spoor van kattennagels.

Jodie zette de bak neer, pakte Katje met twee handen beet en duwde hem naar binnen. 'Toe maar. Poepen, beest, plassen!'

Mevrouw De Vries had niet verbaasder kunnen kijken als Jodie een tros bananen uit haar neus had getrokken.

'Eh... maar eh...' Meer wist mevrouw De Vries niet uit te brengen.

Katje sprong snel uit de bak en dook weer op het snoer af.

'Hij wil niet poepen,' zei Jodie.

'Er moet volgens mij eerst iets *in* de bak,' zei Wieske.

'Ja, kattengrit, natuurlijk,' riep mevrouw De Vries. 'Voor mijn part aarde, uit de tuin. Maar wel *iets*.' Haar wenkbrauwen waren hoog opgetrokken. 'Jij weet niet zoveel van poezen, hè?'

Jodie haalde haar schouders op. 'Gaat wel. We hebben nog nooit dieren gehad.'

'Jawel hoor, jij wel,' zei Beer. 'Luizen.'

'Pff, jij zeker niet.'

'Je moet goed voor dieren zorgen.' Mevrouw De Vries keek ongerust. 'Hebben jullie wel eten voor hem?'

'Natuurlijk wel.'

'Wat geven jullie hem dan?'

'Gewoon, wat wij ook eten. En vanmorgen melk.'

'Nee! Melk is vreselijk slecht voor poezen.' Mevrouw De Vries keek nu bijna wanhopig.

'Misschien moet u ze een cursus geven,' zei Wieske. 'Een cursusje kat.'

Mevrouw De Vries knikte, zuchtte en keek vol medelijden naar Katje, alsof ze zijn overlevingskansen niet hoog inschatte. Katje zelf was zich van geen gevaar bewust, hij rende achter het televisiesnoer aan, sprong op Beer en vloog daarna in de jurk van mevrouw De Vries. Het was vreselijk grappig. Iedereen lachte, behalve mevrouw De Vries. Ze zuchtte weer. 'Koemelk.... En hij is te klein, hooguit een week of zes. Hij had nog bij zijn moeder moeten zijn.'

In de verte scheurde een auto voorbij, het was duidelijk te horen dat hij veel te hard ging. Mevrouw De Vries schudde even met haar lichaam, alsof ze het geluid van zich af probeerde te krijgen. 'Er staan borden: 60 kilometer. Deze rijdt wel 100. Kunnen die mensen niet lezen?'

'Hé, ik weet wat,' zei Wieske. 'We gaan borden maken, voor langs de weg. Met grote foto's van Bromsnor en Buffel, en daarbij: *Wij zijn dood, door jullie gescheur.*'

'Hm.' Mevrouw De Vries keek peinzend. 'Goed idee. Alleen niet met die foto's, dat wil ik niet. Dat is een beetje te... heftig.'

Vreemde vrouw, die mevrouw De Vries. Het ene moment wil ze stenen gooien en het volgende moment vindt ze foto's nog te heftig.

'Ik wil niet dat mijn poezen daar hangen,' legde ze uit. 'Zo te kijk, voor iedereen. Maar die borden vind ik een goed idee. Zullen we die vanmiddag maken?'

'Ja. Jodie, doe je ook mee?'

'Best. Als het maar niet te vroeg is. Ik ga eerst een boek uitlezen.'

Wieske ging met mevrouw De Vries naar de kluswinkel, op de fiets. Het was eigenlijk handiger geweest met de auto, maar ja, die was weg.

'Ik wist niet dat u een auto had,' zei Wieske, terwijl ze naar Ter Broek fietsten. 'Heeft meneer De Vries dan nog een andere auto?'

'Ja, en ik heb dus een boodschappenautootje. Dat is handig, voor boodschappen. Maar ik ga meestal op de fiets. Dat vind ik fijner.'

'Wanneer ziet u meneer De Vries eigenlijk?'

'Hoe bedoel je?'

'Gewoon. Wanneer ziet u hem? Hij werkt altijd.'

'Nou, 's nachts, zie ik hem. Ik zie hem vaak genoeg, hoor.'

'Hoe ziet hij eruit?'

'Waarom wil je dat weten?'

'Jullie hebben nergens een trouwfoto staan.' Bij Wieske thuis stond wel een mooie trouwfoto, van Wendelmoed en Balling.

'O, dat trouwen, daar heb ik geen foto's van.'

'Hè?'

'In de tijd dat wij trouwden, vond iedereen trouwen maar stom en suf. We schaamden ons een beetje.'

Dat had Wieske nog nooit gehoord.

Ze wist het nu zeker: er was iets wat mevrouw De Vries niet vertelde, over die meneer De Vries. Misschien was hij wel dood en wilde ze dat niet zeggen. Of hij was naar Spanje gegaan. Dat had de vader van Josée uit haar klas ook gedaan, die ging opeens naar Spanje en kwam niet terug. Of hij woonde stiekem in de kelder, omdat hij een gezochte moordenaar was. Misschien had hij een scheurchauffeur vermoord.

Na het spullen kopen ging Wieske even naar huis, computer controleren en brood eten.

'Komt je vader thuis eten, vanavond?' vroeg Tante. 'Ik vraag het maar vast, want je bent aldoor de hort op.'

De hort op, dat zei Tante altijd, en het betekende 'weg'.

'Nee, maar ik blijf bij mevrouw De Vries eten.' Dat was niet zo, maar ze had nu echt geen zin in de Robijnstraat.

'Moet Ronda komen oppassen? Tina kan vanavond niet.'
'Nee hoor, ik blijf bij mevrouw De Vries tot papa thuiskomt.'

Wieske zat weer op het blauwe bankje.
'Ik heb gisteren allerlei theetjes gekocht,' zei mevrouw De Vries. 'Kies maar, er zit er vast wel een bij die je lekker vindt.'
Ze hield een bak voor Wieskes neus, met een heleboel vakjes. In elk vakje zat een andere soort thee. Wieske koos de citroenthee, want die rook het lekkerst.
Mevrouw De Vries ging heet water halen. 'Hang dat zakje maar vast in je kopje.'
Wieske keek om zich heen. Er waren niet alleen geen trouwfoto's, er was geen enkel spoor van een meneer. Ook in de gang had ze niets kunnen ontdekken: geen mannenjas, geen schoenen, geen verdwaalde stropdas, niks. Bij het stickers plakken was ze in het hele huis geweest, en nergens was iets van een man te vinden.
Ze moest het maar gewoon vragen, anders kwam ze er nooit achter hoe het precies zat.

'Waarom doet u eigenlijk alsof meneer De Vries hier woont?' vroeg ze, toen mevrouw De Vries de kamer in kwam met de olifantentheepot. 'Dat is helemaal niet waar. U liegt.'

Niet gek, wel raar

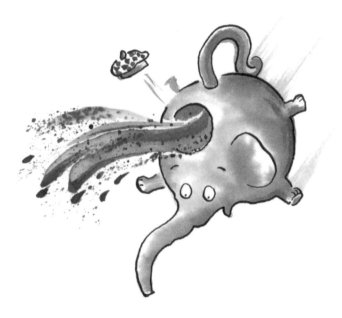

Misschien was het goed gegaan als er een dik tapijt in de woonkamer had gelegen. Maar dat lag er niet.

Met wijd open mond keek mevrouw De Vries de theepot na toen hij viel, de stenen vloer raakte, uit elkaar sprong en in stukken wegvloog. Zelf sprong ze een eind naar achteren, om het hete water niet op haar been te krijgen.

'Nee-hee-hee!'

De schenk-slurf was van de pot af, en ook de handvat-staart.

'O nee, mijn theepot, nee, nee, nee.' Ze sloeg haar hand voor haar mond. Ze trok aan haar haar.

Hellep, dat was natuurlijk niet de bedoeling geweest. Het was een heel mooie theepot.

'Waarom doe je dat nou?!' schreeuwde ze naar Wieske. Daarna hurkte ze bij de brokstukken en jammerde verder: 'Theepotje, theepotje, nee toch, wat nu toch, och potje toch, ach hemel toch...'

Kon ze naar buiten ontsnappen, zonder dat ze vlak langs mevrouw De Vries hoefde? Hm. De beste weg was via de tuindeur.

'O, potje, potje, potje.'

Nou zeg. Het was een mooie theepot, maar mevrouw De Vries deed alsof er een ramp was gebeurd.

'Het spijt me,' zei Wieske. 'Ik had niet gedacht dat u de theepot zou laten vallen.'

'O, nou heb ík het gedaan? *Jij* komt opeens met zo'n vraag, ik, ik...'

'Maar... het is maar een theepot, toch?'

Dat zei Tante altijd. Die kon zich heel druk maken om van alles en nog wat, de kleinste dingen, maar als er iets kapot was, zei ze altijd: 'Het geeft niet, het is maar een ding.'

'Niet *een* theepot, *mijn* theepot!' Mevrouw De Vries liep weer eens rood aan.

'Sorry, maar... er is toch niemand dood? Geen mens, ook geen poes.'

Nu sloeg mevrouw De Vries haar handen voor haar gezicht. O nee, ze ging toch niet huilen? Er kwam een hoge pieptoon van achter de handen. Het klonk een beetje eng.

Wieske kon haar maar beter niet nog bozer maken, voor de

zekerheid. Je wist maar nooit, met haar. Iets liefs zeggen, snel. 'Of had u er een herinnering aan?' vroeg ze zacht. 'Had u hem misschien van meneer De Vries gekregen?'

Mevrouw De Vries schudde haar hoofd, haar handen nog steeds voor haar gezicht. 'Muddufriebustaanie.'

'Wat zegt u?'

Ineens trok mevrouw De Vries haar handen weg. Ze keek naar de natte vloer. 'Nee Wieske, ik heb nog nooit iets van meneer De Vries gekregen.'

'O. Wat eh... jammer.'

'Hij... hij bestaat niet. Niet in het echt. Ik heb hem verzonnen.' Haar hele gezicht was gevlekt, en ook haar hals, tot in haar jurk.

'Hè?'

'Ik heb hem bedacht.'

Mevrouw De Vries had geen zin meer in thee. Ze zat met een glas appelsap in haar stoel. Wieske zat op het blauwe bankje, ook met appelsap. De scherven waren opgeruimd. Mevrouw De Vries had ze zonder aarzelen opgepakt en in de prullenbak gekieperd. 'Hup, weg, afgelopen,' zei ze. 'Niet meer om treuren.'

Een aparte vrouw, die mevrouw De Vries.

'Er is zo veel gevaar, overal,' zei ze tegen Wieske. 'Er komen mensen aan de deur, postbodes, schoorsteenvegers, verkopers, mensen met collectebussen en weet ik veel wat voor types allemaal, en ik dacht: als ze weten dat ik hier alleen woon, komen ze misschien 's nachts terug, om in te breken. Daarom bedacht ik meneer De Vries.'

Wieske knikte, ze snapte het, maar toch was het gek.

Waarom loog ze dan ook tegen háár? *Zij* zou toch niet komen inbreken?

'Ik stelde me steeds meer voor dat er écht een meneer De Vries was. Dat werd een soort... een hobby. Ik ging een dagboekje schrijven, vol belevenissen van mij en meneer De Vries.' Ze keek Wieske aan. 'Denk je nu dat ik gek ben?'

'Nee hoor.'

Niet gek, dacht Wieske, maar wel... raar.

Mevrouw De Vries ging verder: 'Na een tijdje vond ik mijn leven mét meneer De Vries veel leuker dan mijn leven zónder meneer De Vries. Vanaf toen ging ik *altijd* doen alsof hij er was. Behalve als er bezoek was, natuurlijk. Dan deed ik alsof hij weg was. Maar er komt niet zo vaak bezoek.'

'Er paste ook haast niemand bij, hier binnen,' zei Wieske.

'Hm, ja. Ik vind het eigenlijk wel fijn dat die spullen weg zijn.' Mevrouw De Vries nam een paar slokken appelsap. Het was stil, op slikgeluiden na. 'Natúúrlijk denk je dat ik gek ben,' zei ze toen. 'Dat zou ik ook denken, als ik jou was.'

'Nee hoor, niet gek, maar wel eh... anders, misschien.'

'Ik kon er gewoon niet meer mee ophouden. Maar nu misschien wel. Nu ik het aan iemand heb verteld, bedoel ik.'

'Maar u *hoeft* er toch niet mee op te houden?'

'Het is niet erg normaal, mensen verzinnen die niet bestaan.'

'Het is wél normaal,' riep Wieske. 'En soms... soms bestaan mensen die niet bestaan méér dan mensen die wél bestaan!'

Het was stil.

Waarom keek mevrouw De Vries haar zo aan, met die ogen?

'Waarom huil je?' vroeg mevrouw De Vries zacht.

'Ik huil niet!' Waarom zou ze? Ze dacht aan Bloem en Vos. Het was toch juist fijn om aan Bloem en Vos te denken?

Bloem, met haar bloemenjurk en pijpenkrullen, die onder Wieskes bed woonde. Bloem, die altijd vrolijk was, maar soms ineens niet onder het bed vandaan wilde komen. Dan was ze niet vrolijk, en niemand mocht het zien. Wieske ging dan bij haar liggen, om haar te troosten.

En Vos, met zijn warrige, lange haar en zijn mosgroene jasje, altijd bemodderd. Vos, die alles van de natuur wist: van de bomen en de planten en de dieren en de zon en de maan.

'Ik vind u niet gek, echt niet.' Wieske lag tegen mevrouw De Vries aan, die naast haar zat en haar arm om haar heen had geslagen.

'Weet je wat ik net bedacht?' zei mevrouw De Vries. 'Ik wil mijn spullen niet terug. Ik was er altijd zo verschrikkelijk aan gehecht, maar ik mis ze helemaal niet, nu ze weg zijn. Dus misschien ga ik die theepot ook niet missen.'

'Het was wel een mooie.'

'Ja, maar nu kan ik fijn een nieuwe uitzoeken.'

De t van haat

De borden waren klaar. Twee dezelfde, één voor elke kant van de weg. RUSTIG RIJDEN! stond erop. En: WIJ WILLEN OOK LEVEN! Daaronder een kind, een kat en een konijn, door mevrouw De Vries getekend. Jodie had de letters gemaakt en Wieske had ze rood ingekleurd. Er was hier en daar wat verf naar beneneden gedropen, waardoor

het leek alsof er bloed aan de letters hing. Het zag er geweldig uit.

Mevrouw De Vries had de borden op stokken gespijkerd.

'Wauw,' riep Jodie. 'Misschien kunnen we een heleboel van deze borden maken en verkopen. Geld verdienen. Ik weet zeker dat iedereen ze wil hebben.'

'Dan heb je geen tijd meer om te lezen, hoor,' zei Wieske. En al helemaal niet om te spelen, dacht ze erachteraan. Ze had geen zin om de hele dag letters in te kleuren. Even was leuk, maar nu had ze wel weer zin in iets anders.

Met z'n drieën liepen ze naar de weg om de borden neer te zetten.

Mevrouw De Vries had een grote schep, waarmee ze een gat groef. Ze hield de stok vast terwijl Wieske en Jodie aarde in het gat duwden en aanstampten, zodat de stok stevig bleef staan.

Ze keken naar elkaar en naar het bord. Het bord was zo mooi dat auto's vanzelf langzamer zouden gaan rijden, Wieske wist het zeker. 'We hebben levens gered,' zei ze.

Mevrouw De Vries knikte en glimlachte en keek verdrietig tegelijk. Ze dacht natuurlijk aan Buffel en Bromsnor. Voor hen was het te laat. Maar ze dacht vast ook aan Katje. Die kon misschien blijven leven.

Even later zaten ze samen in het zitje en dronken thee. Mevrouw De Vries had het water zo uit de ketel in de kopjes gegoten.

'Dus. Gaan we nog meer borden maken?' vroeg Jodie.

'Nou, ik vind twee wel genoeg, voor nu,' zei mevrouw De Vries.

'Maar dan kunnen we nog meer kinderen redden. En poezen. En konijnen.'

'Ja, dat is zo.' Mevrouw De Vries keek wat onzeker naar Wieske.

'Willen jullie niet nog meer levens redden?' vroeg Jodie.

'Nou, eh... jawel, maar niet de hele dag,' antwoordde Wieske.

Het was zo gezellig geweest. En ineens leek Jodie weer te knetteren. *Jullie* hebben natuurlijk helemaal geen geld nodig,' zei ze. *Jullie* zijn hartstikkenestinkend rijk.'

'Ik niet hoor,' zei Wieske. 'Ik heb niet veel op mijn spaarrekening.'

'O nee? Hoe kun je Villa Wielewaal dan voor ons huren?'

Mevrouw De Vries begon te lachen. 'Dat is een leuk verhaal,' begon ze.

Nee, niet vertellen! seinde Wieske met haar ogen. Als Jodie zou weten dat ze een geldpasje van haar vader had, zou ze eindeloos doorzeuren om geld, voor haar ouders.

Mevrouw De Vries begreep blijkbaar geen ogentaal, want ze ging gewoon verder: 'Een paar dagen gelede-'

'Het is een héél saai verhaal,' onderbrak Wieske haar. 'Echt niet leuk. Mijn vader heeft het huis betaald. Hij is rijk, ik niet.'

'Ja,' zei mevrouw De Vries. 'Haar vader is Balling B. Kaaiman. Die ken je misschien niet, maar hij is een bekende zakenman, hoor. Hij...' Mevrouw De Vries hield op met praten en keek naar Jodie.

Jodies gezicht was wit. 'Is... is Kaaiman jouw vader?' Ze kwam langzaam overeind, met ogen als bowlingballen zo rond en hard.

Wat nu weer?

Jodie liep op Wieske af, met trage stappen. Ze leek op een kat die haar prooi naderde. Wieske verstijfde. Ze zou haar toch niet écht–

Wel. Opeens lag ze op de vloer. Jodie was op haar gesprongen en had haar razendsnel op de grond getrokken. 'Ik haat jou!' schreeuwde ze in Wieskes gezicht. Er kwam een spuugspetter mee met de t van *haat*. Ze trok hard aan Wieskes haar.

'Blijf van me af!' riep Wieske en ze schopte Jodie met haar benen van zich weg.

'Graag!' schreeuwde Jodie. Even snel als ze óp Wieske gesprongen was, vloog ze weer van haar af. 'Bluh, ik walg van jou!' Het hele huis leek mee te deinen, toen ze de kamer en de gang door stampte en de voordeur achter zich dichtsmeet. BENG!

Wieske bleef stil liggen.

Was dit echt gebeurd?

Boven haar verscheen het geschrokken gezicht van mevrouw De Vries. 'Alles goed, meisje?'

'Eh... ja, ik geloof het wel. Maar... wat? Ik bedoel: waarom?'

'Ik snap er ook niks van. Ik breng je wel even naar huis.'

'Ik blijf liever hier,' zei Wieske. Ze ging rechtop zitten en voelde aan haar hoofd. Haar haar zat er nog, maar haar hoofdhuid brandde, zo hard had Jodie getrokken.

Mevrouw De Vries keek haar bezorgd aan. 'Het is een raar kind. Misschien is het maar beter dat ze weg is.'

De vragen fladderden wild door Wieskes hoofd, als opgesloten vogels. Wat was er gebeurd? Wat had ze verkeerd gedaan? En haar vader, waarom haatte Jodie hem? Hij was hartstikke lief! En hoe kende ze hem?

Wieske stond op en liep naar de voordeur. Haar fiets stond er nog.

Eigenlijk had ze gehoopt dat hij weg zou zijn.

Jodie wilde zelfs haar fiets niet meer.

Kiele-kiele-Kaaiman

Wieske bleef bij mevrouw De Vries eten. Ze hielp haar met koken en afwassen. Daarna deden ze spelletjes ganzenbord. Het was best gezellig, maar Wieske voelde zich onrustig. Er was iets helemaal fout. Het was alsof ze het knetteren van Jodies kwaadheid hier helemaal kon voelen.

'Zal ik er even heen gaan?' vroeg ze.

'Dat is al de vierde keer dat je dat vraagt,' zei mevrouw De Vries. 'En ik zeg voor de vierde keer: nee, laat haar gewoon even afkoelen. Ze draait heus wel weer bij.'

Wieske gooide de dobbelstenen zonder te kijken. 'Maar waarom zou ze bijdraaien? Ik weet niet eens waarom ze boos werd.'

'Hup, in de put met jou.'

'Hè?'

'Je zit in de put. Kijk maar... zes, zeven, acht.' Mevrouw De Vries bewoog Wieskes pion naar het vakje met de put.

'O ja.'

'Je moet wachten tot ik je eruit haal.'

'Goed.' Ze had genoeg van dat ganzenborden, het was saai, maar als ze nu zou stoppen, zou ze voor altijd in de put zitten. Dat was geen leuk idee.

'Er zijn eigenlijk meer spelers nodig,' zei mevrouw De Vries. 'Dan is het spannender. Zullen we een ander spelletje doen?'

'Ik denk dat ik maar eens naar huis ga,' zei Wieske. Thuis

kon ze tenminste rustig onrustig zijn, in haar eentje. Misschien kon ze via de struiken in de achtertuin naar Villa Wielewaal sluipen, om te kijken of Jodie iets raars aan het doen was.

Misschien gooide ze wel pijltjes naar een foto van Wieske en haar vader. Ze had dan eerst ingebroken om de foto te stelen. Er zaten gaatjes in hun ogen, hun neus, hun voorhoofd en hun oren.

Het was helemaal niet leuk, als iemand je haatte. Zomaar.

'Ik loop met je mee.'

'Dat hoeft niet. Ik ben op de fiets.'

'Ik ga toch mee. En als je vader niet thuis is, wacht ik tot hij komt.'

Pff. Alsof ze niet voor zichzelf kon zorgen.

Maar.

Jodie. Misschien had ze ingebroken. Haar speelgoed kapot
getrapt. Haar knuffels onthoofd. *Ik haat jou* op de muur geschreven, met dikke rode druipverf.
'Nou ja, goed. Ga maar mee, dan.'

Ze liepen langs de weg naar Wieskes huis.
'Wat is dat?' vroeg Wieske. Het leek wel alsof er kinderen aan
het zingen waren, bij hun huis.
Mevrouw De Vries zei niets terwijl ze de oprijlaan op liepen.
Maar haar ogen waren groter dan normaal. Plotseling bleef
ze staan. Met haar hand hield ze Wieske tegen. 'Wacht.'
Daar was het huis.
Er stonden bruine woorden op, zo groot dat je ze vanaf hier
kon lezen:

BAH!-LING

GELD TERUG

HIER MET ONZE POEN

GELDROV

DIEF

En daar stonden mensen.
Arend-Jan. Jodie. Robbie. Beer.
Met emmers.
Er zat iets in de emmers.
Dat haalden ze eruit en ze gooiden het tegen het huis.
Wat?

Wieske keek naar mevrouw De Vries. Wat doen ze? wilde ze vragen, maar het lukte haar niet de woorden uit haar keel omhoog te takelen. Mevrouw De Vries stond nog steeds in dezelfde houding, onbeweeglijk.

Er was inderdaad een liedje. Jodie zong het, met Beer en Robbie, maar Jodie klonk het hardst. Nu kon Wieske ook de tekst horen.

Kiele-kiele-Kaaiman
Snolle-grolle-graaiman
Kouwe kak en warme mest
Krijg de klere en de pest!

'We moeten de politie bellen,' zei mevrouw De Vries.

'Nee, niet de politie!' zei Wieske.

'Wou je ze dan hun gang laten gaan?'

'Nee, maar...' Als de politie erbij kwam, zou haar vader ontdekken wat ze had gedaan. 'Misschien kunnen we erheen en met ze praten en... Het is vast allemaal een vergissing.'

'Het stinkt hier,' zei mevrouw De Vries. 'Of... wat is het?'

Wieske snuffelde in de lucht. Er hing inderdaad een vreemde geur. Scherp.

'Het ruikt naar gier,' zei mevrouw De Vries.

'Gier? Een vogel?'

'Nee, geen vogel. Gier is m–' Mevrouw De Vries keek om en sprong de bosjes in, terwijl ze Wieske met zich mee trok. 'Mijn auto. Ik dacht al dat ik hem hoorde aankomen.'

Er reed een rood autootje over de oprijlaan. Vanuit de bosjes zag Wieske een lachende Mol achter het stuur zitten.

Wat viel er in vredesnaam te lachen?

De auto stopte voor het huis.

Wieske keek opzij. Hè? Mevrouw De Vries lachte óók al, net als Mol. Met zo'n stom verkneukelgezicht. Nou ja!

'Wat is er zo grappig?' Ze kreeg zin om mevrouw De Vries achterover te duwen, in een stekelbosje.

'Sorry. Het is niet grappig. Ik moet gewoon lachen.'

'Hou daar dan mee op.'

'Het komt omdat... Ik durf nooit wat, en moet je me nú zien, in de bosjes. Eén en al avontuur!'

Op dat moment reed er een glanzend zwarte auto de oprij-laan op.

Jandoedelzakken

Wieske en mevrouw De Vries keken elkaar aan. En toen weer naar de auto, die zacht krakend over het grind gleed. Mevrouw De Vries lachte niet meer.

Papa. Moest ze blij zijn of bang? Haar vader zou het oplossen, toch? Ja, natuurlijk. Alles zou goed komen. Hij mocht alleen niet ontdekken wat ze had gedaan.

'Wat zullen ze met hem doen?' fluisterde mevrouw De Vries.

'Hoezo, met hem doen?'

'Ze haten hem, blijkbaar. Wat gebeurt er als ze hem zien?'

Wieske keek naar de kont van de auto, die een beetje omhoog stak. Daar ging hij, richting vijand, nietsvermoedend, als een lammetje dat kwispelend naar de slager huppelt.

'Misschien draaien ze wel door.' Mevrouw De Vries keek echt bezorgd. 'Nog vérder door, bedoel ik. Dat ze helemaal gek worden en hem aanvallen.'

'Bel de politie, snel!' riep Wieske.

'Ik heb geen telefoon, hier. Als ik naar huis ren, is het misschien te laat. Wat nu, wat nu?'

Een moment was Wieske verlamd. Ze keek naar mevrouw De Vries. Mevrouw De Vries keek naar haar. En toen, alsof het afgesproken was, pakten ze elkaars hand en renden de bosjes uit, de auto achterna.

'Pááp! Stóóóp!!'

'Meneer Kaaiman! Wacht!'

De auto reed verder. Hoorde hij hen niet roepen? Zag hij niet wat er vóór hem aan de hand was? Misschien luisterde hij naar Everhart Boerman, zijn favoriete zanger. Misschien zat hij te denken aan de besprekingen van morgenochtend. In elk geval stopte hij pas toen hij al vlak bij het huis was, achter de rode auto van mevrouw De Vries.

'Hé, daar hebben we Balling Bé!' riep Arend-Jan. 'In hoogsteigen rotpersoon!'

Alle Bulkensteins kwamen eraan. En alsof het afgesproken was, begonnen ze tegelijk naar de auto te gooien met de mest, die ze met hun handen uit hun emmers schepten.

Wieske en mevrouw De Vries bleven staan, op zo'n tien meter afstand. Niemand keek naar ze.

De bruine derrie vloog door de lucht en landde op de auto, tegen de auto, naast de auto.

Verdruttelde jandoedelzakken, dacht Wieske. Daar staan ze. Poep naar papa te gooien. Het huis te bekladden. De grond te besmeuren. Terwijl ze een villa hebben gekregen om in te wonen. Gratis. De hele zomer.

En Jodie. Met haar ellendige humeur. Dat boze gedoe. Die altijd alleen maar aan zichzelf denkt.

Daar staan ze.

Hier sta ik.

En ik pik het niet. Niet. Niet.

Het is afgelopen.

Uit.

Wieske deed een stap naar voren. En nog een. Alsof iemand anders haar bestuurde. Geen olifant hield haar tegen, laat staan de Bulkensteintjes.

'Wieske, niet doen, blijf hier,' riep een stem, die uit een vage verte leek te komen.

Wieske greep Jodie vast, gooide haar op de grond en sprong brullend bovenop haar. Ze rolden door de bruine smurrie. Toen stond Wieske op, liet Jodie liggen en trok Beer neer, in één beweging, met een reuzenkracht die vanuit haar benen omhoog stuwde. Daarna sprong ze op Arend-Jan, die net was gebukt om Jodie omhoog te helpen.

Ze schreeuwde alsof ze drie meisjes was in plaats van één.

Ze hing aan Arend-Jans rug en trok hem met mammoet- kracht naar achteren. Er kwam geen centimeter beweging

in. Ze trok en trok en trok en… gleed toen langzaam naar beneden. De kracht in haar armen was op, helemaal. Ze zakte
op de grond en bleef daar liggen, met haar ogen dicht.

De mestlucht drong fel haar neus in, maar dat was niet erg.
Raar, maar ze voelde zich lekker. Uitgeput, maar helemaal
fijn. Het was stil om haar heen.

Autodeur.

Twee sterke handen pakten haar vast.

Tilden haar op.

Papa.

'Iedereen wegwezen,' zei een stem. Wieske glimlachte, vanbinnen, zonder dat haar mond bewoog, want daar had ze de
kracht niet voor. Mevrouw De Vries. De *leuke* mevrouw De
Vries, de boze. 'Weg, jij, jij, jij! Nee, jij niet. Hier blijven, jij.'
Wieske trok één oog op een kier. Mevrouw De Vries had een
bruin besmeurde Jodie bij de arm. De anderen stonden slap-
jes toe te kijken.

'Ga maar vast, allemaal,' zei Jodie. 'Ik red me wel.'

Red-de-mieren

Lekker zo, op de bank, hoofd op papa's schoot en laat iedereen maar praten. *Welgelegen,* dat woord sprong in haar hoofd. Het kwam niet uit de woordenschatkist. Zo heette hun huis, voordat zij er kwamen wonen. Papa vond het een stomme naam en had hem weg laten halen. Wieske wist precies wat de naam betekende, want nu voelde ze zich zo: welgelegen.

Papa streelde over haar arm en ook over haar haar, hoe vies het ook was, en ze hoefde niet eens te doen alsof ze sliep.

Als Tante de kamer zag, zou ze een stuip krijgen. De vloer, de bank, de poef, alles was bevlekt en bruin en vies.

Maar Tante was er niet, en niemand leek zich druk te maken.

'Vertel ons het hele verhaal, van het begin tot het eind,' zei mevrouw De Vries tegen Jodie.

'Makkelijk zat,' zei Jodie. 'Het is zíjn schuld'. Ze richtte haar wijsvinger als een pistool op Wieskes vader. 'Dat is het hele verhaal.'

'Wie ben jij eigenlijk?' vroeg Wieskes vader. 'En wát is mijn schuld?'

'Ik ben van hiernaast,' zei Jodie. 'En alles.'

'Wat heb ik dan precies gedaan?'

Het was stil. Jodie keek naar de grond. 'Mijn vader had een bedrijf, in vastgoed. Vastgoed, dat is grond en gebouwen, en zo.'

'We weten wat vastgoed is,' zei papa.

We. Alsof Wieske dat soort dingen ook wist, net als hij. Leuk. 'En toen ging hij iets met *hem* doen.' Jodie richtte haar vinger weer op Wieskes vader. 'Met Balling B. Kaaiman Bévé. En toen was alles weg. We hadden niets meer. *Hij* heeft al ons geld gestolen.'

Gestolen? Wieske draaide haar hoofd even omhoog om naar papa te kijken.

'Ik steel niet,' zei hij rustig. 'Ik doe niks wat niet mag. Alles binnen de grenzen van de wet.'

Mevrouw De Vries keek opstandig uit haar ogen, alsof ze beslist van plan was om het *niet* met hem eens te zijn. 'Nou, die "grenzen" zijn anders lang niet altijd *goed*,' zei ze, met vlekken in haar hals. Naast haar zat Jodie heftig nee te schudden.

Huh? Hadden die twee nu opeens een bondje?

'Hoe heet je vader?' vroeg Wieskes vader aan Jodie.

'Arend-Jan. Bulkenstein.'

'Aha. Ja, dat weet ik nog. Bulkenstein wilde snel rijk worden. Dat zei hij zelfs. "Ik wil snel rijk worden," zei hij. "En dan lekker rentenieren." Tja, als je dat wilt, moet je heel veel risico's nemen. En het ging jammer genoeg dus mis.'

Wieske snapte niet alles, maar ze had geen zin om iets te zeggen, dus liet ze het maar zo. Ze sloot haar ogen weer.

'Het zal wel, met die red-de-mieren, of zo,' zei Jodie. 'Maar verder is het onzin. We wáren al rijk.'

'Mensen willen altijd rijker worden,' zei papa. 'En misschien houdt je vader niet zo van werken. Rentenieren betekent dat je niet meer hoeft te w–'

'Hij is niet lui!' riep Jodie. 'Waarom denkt iedereen dat altijd? Alleen maar omdat hij dik is!'

'We weten heus dat hij niet lui is,' zei mevrouw De Vries. 'Ik heb hem gisteren bonbons zien maken, hij werkte keihard.'

'Ja,' zei Jodie. 'En ze gaan een nieuw bedrijf beginnen. Ze zijn heus niet dom, of zo.'

'Tja, alleen hebben ze dus geen geld,' zei mevrouw De Vries. 'Misschien kunt u ze wat lenen, meneer Kaaiman? Dan kunt u misschien iets goedmaken, van wat–'

'We hoeven niks van hem!' riep Jodie. 'We hebben alles zelf al.'

'Ik heb niks goed te maken,' zei papa. 'Ik heb niks fout gedaan. Moet ik soms voor de hele wereld zorgen?'

Mevrouw De Vries mompelde iets over 'je dochter' en dat dat al heel wat zou zijn. Toen vroeg ze ineens: 'Hè? Maar Jodie, zei je nou net dat je ouders alles zelf al hebben?'

Wieske deed haar ogen open en zag Jodie knikken. 'Ze gaan een bonbonbedrijf beginnen.'

'Maar hoe komen ze dan aan het geld? Je moet eerst van alles kopen, als je een bedrijf begint.'

Jodie was stil. Wieske zag dat ze haar schouders ophaalde en een beetje verschoof op de bank. Ze voelde zich duidelijk niet op haar gemak.

'Misschien hebben ze het geleend, van je opa en oma, gisteren,' zei mevrouw De Vries behulpzaam.

Jodies gezicht klaarde op. 'Ja, dat is het. Mijn opa en oma zijn héél gul.' Ze knikte er hard bij. 'Ze lenen heel graag geld uit. En ze vonden het een geweldig idee, bonbons.'

Jodie loog, dat was overduidelijk.

Maar waarom?

'De hele keuken staat vol,' ging ze verder. 'Met pannen om de chocola te smelten en dozen vol suiker, noten, marsepein, chocola, likeurtjes en weet ik veel wat allemaal.'

Dat zoog Jodie vast ook uit haar duim.

'Hé, maar wacht eens even,' zei Wieskes vader. 'Als jullie helemaal geen geld hadden, hoe komen jullie dan aan Villa Wielewaal?'

'Eh...' Mevrouw De Vries friemelde met haar handen en keek naar Wieske.

Wieskes adem bleef steken.

Geldroverhoofdman

'Haha, dat is heel grappig,' zei Jodie. 'Weet je wie dat huis betaald heeft? Dezelfde persoon die ons–'

'O, weet je waar ik enorm mee zit?' zei mevrouw De Vries. 'Hoe krijgen we die smeerboel weer schoon? Vreselijk. Het moet snel, want het trekt allerlei ongedierte aan.'

Het was dat Wieske welgelegen was, anders was ze opgestaan om mevrouw De Vries te bedekken met dankbare kussen. Zelf had ze niets kunnen bedenken om te zeggen, niets goeds, niet eens iets slechts, alsof haar hersens leeggespoeld waren.

'Geen probleem,' zei Wieskes vader. 'Ik bel morgenochtend een schoonmaakbedrijf en stuur de rekening naar de buren.'

'Pff,' zei Jodie. 'U doet maar. Maakt ons niet uit. We betalen toch niet.'

'Ook goed. Dan bel ik de politie. Dat had ik eigenlijk meteen al moeten doen.'

Nu *moest* Wieske wel uit haar toestand van stille welgelegenheid komen. Ze draaide haar hoofd weer een stukje omhoog, naar haar vader toe, en zei: 'En als ze het nu zelf doen, pap?'

Het was stil. Toen voelde Wieske zijn buik uitzetten. Dat was ingeademde adem. Hij ging iets zeggen.

'Hm. Vooruit, ik weet het goed gemaakt: als morgenavond de boel weer schoon is, bel ik de politie niet.'

'Ik help jullie wel,' zei Wieske.

'Ik ook,' zei mevrouw De Vries.

Jodie keek ongelovig van Wieske naar mevrouw De Vries en terug. 'Maar... waarom?'

'Gewoon,' zeiden Wieske en mevrouw De Vries bijna tegelijkertijd.

'Ik wacht nog op een antwoord,' zei Wieskes vader. 'Moet ik de politie bellen of gaan jullie schoonmaken?'

'Schoonmaken,' zei Jodie. Ze trok één mondhoek omhoog, terwijl ze naar Wieske keek. Het leek haast op een glimlachje, een lief glimlachje zelfs. Nou ja, een halve dan.

'Goed, dat is geregeld,' zei Wieskes vader. 'Ik ga douchen.'

Mevrouw De Vries vroeg aan Jodie hoe ze op het mest-idee waren gekomen.

Dat was zo gegaan: Jodie kwam thuis na de ruzie met Wieske. Haar ouders stonden in de keuken, bakken vol bonbons te maken voor hun nieuwe bedrijf. Jodie vertelde wat ze net had ontdekt over Balling B. Kaaiman.

'Ho, wacht eens even,' onderbrak Wieske haar. 'Ze hebben dus écht allemaal chocola en zo?'

'Dat heeft ze toch net verteld?' zei mevrouw De Vries.

'Ik dacht dat dat bluf was,' zei Wieske.

Jodie zei dat het haar niks kon schelen of Wieske haar geloofde of niet en ging verder met haar verhaal.

Arend-Jan en Mol waren bijna uit hun vel gesprongen van woede. Balling B. Kaaiman, hun grootste vijand, woonde gewoon náást hen. Hoe durfde hij! Alsof er niets aan de hand was!

Voordat Jodie nog iets kon zeggen, pakten haar ouders de pannen met gesmolten chocola en liepen de deur uit.

'We zullen zijn huis eens besmeuren, zoals hij óns besmeurd heeft!' riepen ze.

Jodie en de jongens verstopten snel de rest van de dozen chocola buiten, in de struiken en het hoge gras, zodat niet de hele voorraad eraan zou gaan.

Arend-Jan en Mol kwamen terug voor nieuwe chocola, want ze waren nog lang niet klaar met besmeuren. Alleen al het woord 'geldroverhoofdman' afmaken was een hele klus!

Ze werden woedend toen ze merkten dat alle chocola verdwenen was. Als Arend-Jan de twee jongens nog langer door elkaar gerammeld had, waren hun armen en benen waarschijnlijk van hun rompen losgetrild. Gelukkig bedacht Jodie net op tijd dat ze de buurman van oom Jo en tante Trude konden bellen, die was boer en had een hele hoop mest.

Aha, mest, dat was nog eens een briljant idee!

Ze zouden zorgen dat die ellendige Kaaiman mooi in de stront kwam te zitten, precies zoals hij *hen* in de shit had laten zakken.

De buurman zei dat ze alle mest mochten hebben die ze wilden, hij had toch veel te veel.

Ze haalden drie ladingen, waarvan de derde nog niet was gebruikt.

'Waar is die derde lading dan?' vroeg mevrouw De Vries. 'Toch niet nog in mijn...'

Eh... ja, dus.

'Goed bedacht, die mest.' Wieske ging rechtop zitten. 'Zie je wel dat het niet moeilijk is om je ouders in beweging te krijgen?'

Als een draaiorgel

Het was al na middernacht. Jodie was naar huis. Wieskes vader had in plaats van een vies net pak nu een schone slobberbroek en een T-shirt aan. Wieske had ook gedoucht en zat in haar slaapjurk op de bank. Mevrouw De Vries had overal handdoeken over gelegd, zodat iedereen kon zitten zonder weer vies te worden. Ze schonk thee in.

'Ik drink nooit thee,' zei Wieskes vader. Hij pakte zijn mok en nam een slokje. 'Ik wist niet eens dat we het hadden.'

'Er is wel meer wat u niet weet,' zei mevrouw De Vries.

'Hoe bedoelt u?' vroeg Wieskes vader.

'Gewoon... uw dochter... Ach, laat maar. Ik ga maar eens naar huis.' Ze stond op. 'Dag, Wieske. Dag, meneer Kaaiman.'

'Dag, tot morgenochtend!' zei Wieske.

'Wat bedoelde ze nou?' vroeg haar vader, toen mevrouw De Vries de kamer uit was.

'Geen idee,' zei Wieske.

Ineens vloog de deur open. Daar stond mevrouw De Vries.

'Uw dochter is een ontzettend leuke meid, meneer Kaaiman,' riep ze. 'Ik vraag me af of u dat wel weet. U bent er nooit. U hebt nooit tijd. En ik vind dat belachelijk. Zo.' De deur klapte dicht.

Bewegingloos keken Wieske en haar vader naar de dichte deur, alsof de show zo nog verder zou gaan.

En dat ging-ie. Weer zwaaide de deur open. 'De buren, die

zijn misschien zo gek als een draaiorgel, maar zij doen tenminste iets leuks met hun kinderen. Zij wel!'

De deur sloeg weer dicht. Wieske hoorde even later ook de
voordeur dichtklappen, dus nu zou mevrouw De Vries wel
echt weg zijn. Toch bleef ze naar de deur staren, net als papa.

'Wat krijgen we nou?' zei hij. 'Alsof ik niet weet hoe leuk jij
bent. Natuurlijk weet ik dat. Je bent mijn dochter. En we
doen toch vaak genoeg iets samen?'

'Nou, niet echt héél vaak.'

'Wat vind jij dan leuk?'

'Dit. Dit vind ik leuk.'

'Wat?'

'Zoals vanavond. Hier zitten, en zo.'

Hij zuchtte. 'Tja. Ik heb het ook altijd zo druk. Ik weet het.'

'Kun je het niet eens wat minder druk hebben, dan?' Terwijl
Wieske het zei, wilde ze de woorden alweer inslikken. Ze
wist precies wat hij zou antwoorden. Vroeger, toen ze klein
was, had ze het vaak genoeg gevraagd, als hij weer naar kantoor ging: 'Kun je niet hier blijven, papa?'

'Nee schat, ik moet werken.'

'Waarom?'

'Om geld te verdienen.'

'Waarom?'

Dan lachte hij alleen maar, en aaide haar over haar hoofd,
alsof ze te klein was om het te kunnen begrijpen.

Nu was ze groot, bijna tien in elk geval, en ze snapte het nog
steeds niet.

Haar vader deed zijn mond open om antwoord te geven.

'Laat maar,' zei Wieske. Ze kroop tegen hem aan. 'Ik weet dat
je moet werken, omdat je geld moet verdienen.'

Haar vader zei niets. Heel lang. Zo lang dat Wieske begon te denken dat hij in slaap was gevallen, ook al zat hij nog rechtop. Ze keek omhoog. Nee, hij had zijn ogen wijd open.

'Het gaat niet om geld,' zei hij.

Wieske tilde haar hoofd op en keek naar hem. Dit was een nieuw antwoord.

'Ik hou van mijn werk. Van mijn bedrijf. Als ik werk, voel ik me goed. Dat is het, denk ik.'

Voelde hij zich dan niet goed als hij thuis was, bij háár?

Ze vroeg het niet. Durfde niet.

'Maar ik zou alles zo inruilen, weet je, als ik daarmee je moeder terug kon krijgen.'

Wieske legde haar hoofd weer tegen hem aan. Hij sloeg zijn arm om haar heen. Zo zaten ze nog een hele tijd, al wist ze niet precies hoe lang, want opeens werd ze wakker. In haar eigen bed. Het was ochtend.

Hakbijlmoordenaar

Rosalie,

Dit is mijn laatste mail, want ik ga mest en chocola van het huis af boenen. Daarna ga ik liedjes
maken en zingen en boomhutten bouwen. Ik heb dus
geen tijd meer om te wachten op een mail van jou.
Wieske

Van buiten kwam een kreet, en daarna nog een. Het waren
ijskoude kreten, zoals je ze in enge films hoort, wanneer een
vrouw opeens een hakbijlmoordenaar achter het raam ziet.
Wieske rende de trap af en trok de voordeur open. Daar
stond Tante, met haar fiets aan de hand, op de oprijlaan. Ze
had niet verschrikter kunnen kijken als er écht een hakbijlmoordenaar had gestaan. Maar ze keek naar het huis. En
naar de bruine smurrie die overal lag.
'Eh... Tante, misschien moet je vandaag maar niet binnen-
komen.'
'Wat... wat is dáár dan?'
'Daar is het ook vies.'
Tantes mondhoeken trokken alle kanten op, alsof ze eigenlijk wilde huilen. Ze zette haar fiets tegen een boom en liep
met voorzichtige stapjes naar het bordes, de trap op en naar
de voordeur.

Maar Tante zou Tante niet zijn als ze het vuil het vuil zou laten. Toen Wieske had verteld wat er was gebeurd, haalde ze diep adem en zei: 'Goed. Dan ga ik binnen aan de slag, en jullie buiten.'

De witte bank moest opnieuw bekleed worden. Die smerigheid kreeg ze daar echt niet uit. Ze waren oliedom geweest, om daar bemest en al op te gaan zitten. Wat had ze in vredesnaam bezield?

Wieske wist niet wat ze had bezield. Ze waren gewoon gaan zitten.

Even later ging de bel. De hele familie Bulkenstein stond voor de deur, met dezelfde emmers als gisteren, alleen zat er nu geen mest in, maar doekjes, zemen en allesreiniger.

Ze keken alle vijf zo chagrijnig als katten die buiten in de regen zijn gezet.

'Moeten WIJ *zijn* huis schoonmaken,' zei Arend-Jan. 'Na alles.'

'*Hij* zou straf moeten krijgen, niet wij,' zei Mol.

'Zullen we beginnen? Dan zijn we eerder klaar,' zei Beer.

Mols gezicht klaarde een beetje op. 'O ja. Ik denk dat we razendsnel klaar zijn.'

'Hè, hoezo?' vroeg Wieske. Het zou uren kosten, misschien wel een dag, dat kon niet anders.

Mol haalde een pak uit haar emmer en hield het trots omhoog. 'Honderdhoekjes-wonderdoekjes! Ik heb vijf pakken.'

'O, dus die hebt u toch besteld?'

'Mol heet ik, hoor, niet u. Ja, en daar boffen we nu dus enorm mee.' Ze keek net zo blij en trots als Nathalie van de Shopshow.

Raar hoor, die Bulkensteins. Ze hadden helemaal geen geld, en toch kochten ze dingen die ze niet nodig hadden.

Arend-Jan vroeg aan Wieske: 'Is je vader weg?'
'Ja,' antwoordde ze. 'Die is naar zijn werk.'
'Was hij héél boos? Hij was woest, hè? Razend, natuurlijk!'
'Ja, enorm,' zei Wieske. 'Enorm woest, was hij.' Dat was gelogen, of eigenlijk gefrokkeld. De Bulkensteins zouden vast
teleurgesteld zijn als Wieske zou vertellen dat hij zich er niet
zo heel erg druk om had gemaakt.
Arend-Jan en Mol gniffelden even, alsof ze iets stouts hadden gedaan. Daarna begonnen ze vermoeid te zuchten.
Alleen de gedachte aan het schoonmaakwerk putte hen
blijkbaar al uit.
Daar kwam mevrouw De Vries aan. Ook zij had een paar emmers bij zich, en ze droeg rubberen handschoenen. 'Goede-
morgen, allemaal!' Zij had er zo te zien meer zin in.
Tante zette koffie en thee en maakte broodjes. Jodie mocht

haar helpen. Iedereen was blij dat Jodie even weg was met haar gekreun en geklaag. Tante leek het goed met haar te kunnen vinden, want telkens als Wieske even binnenkwam, waren ze samen aan het lachen. Tante was natuurlijk gewend aan eigenwijze en boze meisjes.

'Ik ga even kijken hoe het met Katje is,' zei mevrouw De Vries tijdens de broodjespauze, die ze picknickend op het gras doorbrachten. 'Ik heb een krabpaal voor hem meegenomen. Die had ik nog liggen. Is dat goed?' Ze stond op.
'Je doet maar,' zei Mol. 'De schuifdeur is niet op slot.'
Arend-Jan legde zijn hand op Mols arm. 'Eh... Molliemops...'
Ze keken elkaar een paar seconden aan. Toen werden Mols ogen groter. 'O...' zei ze. 'Eh... wacht!'
'Ja, wacht,' riep Arend-Jan, 'je kunt beter even...'
Mol en Arend-Jan wisten blijkbaar geen goede reden te verzinnen om haar tegen te houden. Mevrouw De Vries liep gewoon door, met de krabpaal in haar hand, en hoorde niks. Of ze deed alsof.
Wat was er aan de hand? Waarom mocht mevrouw De Vries niet naar Villa Wielewaal? Was er soms iets met Katje gebeurd? Nu al?
'Ik ga mee!' riep Wieske en rende achter mevrouw De Vries aan.
'Ja, ga jij maar, Wiesje,' riep Mol. 'Stuur Muffie maar terug. We hebben haar hier nodig!'
'Volgens mij is er iets ergs gebeurd,' zei Wieske, toen ze mevrouw De Vries had ingehaald.
'Ja, dat gevoel heb ik ook,' zei mevrouw De Vries.
Ze gingen steeds langzamer lopen toen ze Villa Wielewaal

naderden. Wat zouden ze daar aantreffen? Wieske durfde er niet aan te denken. Bromsnor, Buffel en nu ook Katje? Hadden ze hem laten ontsnappen? Was hij de weg op gerend? Lag hij nu op de tafel, klaar voor de begrafenis? Of hadden ze hem iets verkeerds te eten gegeven, waardoor hij ziek in een hoekje lag dood te gaan?

Ze stonden bij de schuifdeur.

'Blijf jij hier maar wachten.' Mevrouw De Vries schoof heldhaftig de glazen deur opzij en stapte naar binnen.

Het bleef stil, in het huis.

Niks aan de hand dus, dacht Wieske, ik ga ook naar binnen.

Katje van oma

'*Waaaaaah!*'
De schreeuw kwam van de gang.
'*Neeeeee!*'
Stampvoeten op de trap, naar boven.
Katje, o nee!

Hé! Daar woppelde Katje tevoorschijn, met zijn staartje
recht de lucht in. Hij klom direct in Wieskes broekspijp.
Au!
'*Hij is weg!*' hoorde Wieske schreeuwen.
'Mevrouw De Vries, nee! Hij is hier!' riep ze, zo hard als ze
kon. Naar de deur lopen ging wat moeilijk, met een beest
aan je broek en nagels in je been.
Weer stampvoeten op de trap, nu naar beneden. Mevrouw
De Vries verscheen in de kamerdeuropening, rood aangelo-
pen. 'Hij is weg.'
Wieske lachte. Wat was ze toch raar soms, die mevrouw De
Vries, zo overdreven paniekerig. Ze bukte zich en plukte Katje
van haar broek af. 'Nee hoor, hier is hij, kijk. Helemaal gezond.'
'Hè? Waar heb je het over? M'n katje! Het katje van oma. Hij
is weg!'
'Katje van oma?' Was mevrouw De Vries gek geworden?
'Hier is Katje, *kijk* dan!' Wieske stak beide handen recht naar
voren, met Katje er spinnend in.

'*Kastje*, zeg ik! Kastje! Ben je DOOF, of zo?' Mevrouw De Vries keek haar woedend aan, de vonken spetterden uit haar ogen. Wieske trok Katje vlug naar zich toe en deed voor de zekerheid een stap achteruit.

'Het stond in de gang. Nu is het weg. Het is nergens, ook niet boven. O, ik had ze nooit mijn spullen moeten lenen.'

'Maar... u wilde ze toch juist niet terug, die spullen?'

Dit was waarschijnlijk niet het juiste moment om haar daaraan te herinneren.

'Wél dat kastje!' schreeuwde mevrouw De Vries. 'Dat wilde ik wél terug! Alleen dat kastje! Het was een vergissing, ik had het niet eens hierheen willen doen. O, ik zal ze, die rottige puddingzakken, ik zal ze eens even flink...' Haar handen en vingers spanden zich zo hard dat het leek alsof ze ijzer aan het wurgen was.

'Staat het kassstje niet gewoon ergens anders?' Wieske sprak de s expres heel duidelijk uit.

'Nee! Het stond daar. In de gang. Daar heb ik expres op gelet, toen ik hier gisteren was.'

'Misschien hebben ze het verplaatst.'

'Nee. Het is weg!'

'Waar is mijn kastje?' Mevrouw De Vries stond met haar handen in haar zij voor Arend-Jan en Mol, die nog op het gras zaten. 'Ik wil het terug. Trouwens, geef ál mijn spullen maar terug.'

'We hebben eh...' Mol keek schichtig van mevrouw De Vries naar Arend-Jan. 'We hebben het uitgeleend.'

'Ja, uitgeleend.' Arend-Jan knikte. 'Het komt weer terug.'

Beer en Robbie trapten een voetbal heen en weer. Jodie lag verderop een boek te lezen.

'Zéker komt het terug,' zei mevrouw De Vries, met haar wijsvinger in de lucht. 'Als jullie daar niet voor zorgen, zorg ik dat de politie daarvoor zorgt.'

Mol en Arend-Jan keken geschrokken.

'Sorry,' zei Mol. 'We dachten dat je niet zo gehecht was aan die spullen. Anders zou je ze toch ook niet uitlenen, aan wildvreemden?'

'Nou ja!' Mevrouw De Vries kleurde weer eens rood in haar hals. 'Doe ik iets aardigs, word ik ervoor gestraft. Wat geeft jullie het recht om.... Hé, maar wacht eens even.'

Iedereen wachtte.

'Het is een heel oud kastje. Antiek. Jullie hebben het... Ahááááá... Jullie hebben het verkocht, hè? Zó komen jullie aan dat geld.'

'Nou nou,' mompelde Arend-Jan. 'Zo klinkt het wel een beetje... dinges.'

'Ja. Alsof we het *gestolen* hebben,' zei Mol.

'Dat hebben jullie ook,' zei mevrouw De Vries.

'Geléénd,' zei Arend-Jan. 'Dat is heel wat anders.'

'Mijn hemel. Jullie worden kwaad op meneer Kaaiman, maar jullie zijn zelf geen haar beter.'

Arend-Jan en Mol plukten aan het gras. Ze keken als kleine kinderen die straf kregen.

'Ik ben benieuwd,' ging mevrouw De Vries verder. 'Hoe willen jullie dat kastje aan mij teruggeven?'

'Gewoon,' zei Arend-Jan. 'Terugkopen, uit de antiekwinkel. Zodra we genoeg winst maken, met onze bonbons.'

'O ja? En wat als jullie niet genoeg bonbons verkopen? Hè? Wat dan? Wat als jullie je chocola op de muur smeren, als een stelletje achterlijke idioten? En trouwens, wat als iemand anders het kastje ondertussen koopt? Wat dan? Nou? Wat dan?'

Zo, mevrouw De Vries was lekker op dreef. Zie je wel, boos zijn deed haar goed. Het was alsof ze kleuriger werd, minder grijzig.

'Het kwam door mijn vader,' zei Arend-Jan. 'Hij is met pensioen, en rommelt wat in de antiek, als hobby. Hij zag meteen dat het kastje een hoop geld waard was.'

'Hij kreeg bijna een hartaanval toen hij het zag staan,' zei Mol lachend. 'Het is van een bekende meubelmaker of zo, uit de achttiende eeuw. En nog helemaal gaaf.'

'Hij was heel trots op mij, dat ik zo'n goede aankoop had gedaan.' Arend-Jan glom terwijl hij het zei.

'Maar je hébt helemaal geen aankoop gedaan,' zei mevrouw De Vries. 'Het is míjn kastje.'

'O, nou ja.'

'Dit is allemaal heel interessant,' zei Wieske. 'Maar misschien kunnen we er later verder over praten. Het huis moet nog schoon.'

Dronken in de goot

Je kon van Arend-Jan en Mol zeggen wat je wilde, maar ze wisten inderdaad wat werken was. Het huis werd witter en witter, het gras eromheen groener en groener.

'Knap hoor, met al die kilo's vet die ze mee moeten slepen,' zei mevrouw De Vries tegen Wieske. Ze hadden net samen de onderste treden van de buitentrap gesopt en stonden nu omhoog te kijken naar de poetsende Bulkensteins. Die waren met z'n allen op het bordes bezig en zongen een liedje. Gelukkig wel een leuk liedje, deze keer. Het ging over iemand die dronken in de goot lag, omdat zijn liefje bij hem was weggegaan.

Tante verscheen in de deuropening: 'Wieske, ik moet weg. Eet je met ons mee of blijf je hier?'

'Ze kan wel met ons mee-eten,' zei Mol tegen Tante.

'Of met mij,' riep mevrouw De Vries naar boven.

'Ga maar hoor, Tante, ik red me wel!'

'Komen jullie allebei maar bij ons eten,' riep Mol naar beneden. 'Ik flans zo wel even iets in elkaar. Een soepje, of zo.'

'Ik ga niet mee, hoor,' zei mevrouw De Vries tegen Wieske. 'Anders denken ze dat alles weer goed is. Het is niet goed. Het is pas goed als ik mijn kastje terug heb.'

'Maar dan zitten wij daar allemaal gezellig, en dan zit u alleen thuis,' zei Wieske. 'Dat is niet leuk.'

Arend-Jan had een tafel met stoelen in de tuin van Villa Wielewaal gezet, bij een van de oude bomen.

'Ga maar zitten, Muf... eh, ik bedoel, buurvrouw.'

Mevrouw De Vries was toch maar meegegaan, al bleef ze wel zeuren.

'Het is pas goed als ik mijn kastje heb.'

'Zonder kastje is het niet goed, tussen ons.'

Hè? Zag Wieske het goed? Ja, haar vader kwam de tuin van Villa Wielewaal in gelopen. Ze waren net begonnen aan de soep met broodjes.

'Kaaiman!' riep Arend-Jan. 'Wat doet die hier?'

'Die durft!' zei Mol.

'Papa! Hoe wist je dat ik hier was?'

'Dat zei tante Nancy. Je was niet thuis, dus ik dacht dat je met haar mee was gegaan. Ik eh... nou ja, ik wilde een keer wat vroeger thuiskomen, vandaag.'

'U krijgt geen soep,' zei Mol. 'Eerst ons geld terug.'

'Ik heb best zin in soep,' zei Wieskes vader. 'En dat geld is weg. Jullie namen te veel risico. Dat is niet mijn schuld.'

'Nou, misschien hadden we een béétje voorzichtiger moeten zijn,' zei Arend-Jan. Hij zwaaide dreigend met zijn lepel in de lucht. 'Maar jij... Balling B. Kaaiman Bévé, jullie hadden allemaal mooie praatjes, dus wij dachten dat het wel goed zou gaan.'

Het was stil. Te stil, vond Wieske. Waarom zei haar vader niets? Hij moest het gewoon even uitleggen, dan snapten ze het en dan kwam alles goed.

Maar hij zei niets. Er klonk wel een zacht geknor. Dat kwam uit zijn buik.

'Hm.' Mol bekeek Wieskes vader van boven naar beneden.

'Vooruit dan maar. Ik heb nog wel een heel klein soepkopje, ergens.' Ze stond op en liep naar het huis.

'Hoeveel geld hebben jullie eigenlijk gekregen voor dat kastje?' vroeg mevrouw De Vries aan Arend-Jan.

'O, gewoon...'

'Gewoon *wat*? Ik kan het zo vragen bij de antiekwinkel, hoor.'

'Eh... ongeveer achtduizend.'

Dat was blijkbaar veel, voor een kastje, want iedereen was stil.

'Hoeveel hebben jullie nog over, dan?' vroeg mevrouw De Vries.

'O, gewoon, iets van vijfduizend.'

'Geef die maar vast aan mij. Dat is een begin.'

'Maar dan hebben we niks meer om een nieuw bedrijf mee op te starten.'

'Dat hebben jullie nu óók niet. Het is niet jullie geld. Het is míjn geld.'

Zo zeurde het gesprek verder. Het was niet zo leuk, maar de soep was lekker, en Wieske zat fijn naast papa, die niet een klein soepkopje kreeg, maar een gewone. En zelfs een stoel.

Mooie vlinder

Na de soep liep Wieske naar Jodie toe. Naast haar lag een boek in het gras. Ze las er niet in. Het was niet eens opengeslagen.

'Toch vind je andere dingen óók best leuk, hè?' vroeg Wieske.

'Hoe bedoel je?'

'Eerst wilde je alleen maar lezen. Nu doe je van alles.'

Jodie keek haar aan. 'Eh... ja, dat is wel zo.' Ze zei het twijfelend, alsof ze zelf nog aan het idee moest wennen.

'Misschien komt het omdat je niet meer op het kerkhof zit. Daar is niet zoveel te doen, behalve liggen en lezen.'

'Ja, misschien.'

'Je houdt dus wél van liedjes maken en zingen.'

'Hoezo?'

'Jullie zongen gisteren een liedje over mijn vader.'

'O ja.' Jodie lachte, alsof het een leuke herinnering was. 'Ik ben er wel goed in. In liedjes maken.'

'Ik ook,' zei Wieske. 'We kunnen samen misschien een musical maken, of zo.'

Jodie knikte. 'En dan gaan we in Ter Broek optreden, en een hele hoop geld verdienen.'

Wieske liep terug naar de stoel naast haar vader en ging weer zitten. Arend-Jan en Mol waren naar de keuken, om de afwas te doen.

'Daar begin ik echt niet aan,' zei papa tegen mevrouw De Vries. 'Ik heb geen sikkepit vertrouwen in die mensen.'

'Maar ze weten van aanpakken,' zei mevrouw De Vries. 'Het zijn wel *doeners*.'

'Ja, dat is juist hun probleem. Ze moeten eerst nadenken. En dán pas doen.'

'Waar gaat het over?' vroeg Wieske.

'O, mevrouw De Vries wil dat ik de Bulkensteins geld leen, zodat ze een nieuw bedrijf kunnen beginnen. Maar dat doe ik niet. Dan kan ik mijn geld net zo goed door de wc spoelen.'

'Ik denk dat ze best wat kunnen, meneer Kaaiman,' zei mevrouw De Vries. 'Hun vorige bedrijf ging toch ook goed? In elk geval tot ze met u... nou ja, u weet wel.'

'Zeg maar Balling, hoor.'

'O. Eh... goed.'

Papa keek vragend naar mevrouw De Vries. 'En u, hoe heet u?'

'Eh... Ik denk dat de Bulkensteins gewoon een beetje vertrouwen nodig hebben,' zei ze. 'Dat iemand in ze gelooft.'

'Ja,' zei Wieske. 'U, bijvoorbeeld. Waarom laat u ze dat kastjesgeld niet een tijdje houden? Dat ze het later terugbetalen?'

'Niks d'rvan. Ik wil oma's kastje.'

Soms was het *zo* gemakkelijk, goede ideeën krijgen. Soms kwamen ze uit zichzelf naar je toe gehuppeld. Wieske draaide zich naar haar vader. 'Papa, luister. Ik word tien. Dat is heel bijzonder, hè?'

'Zeker.'

'En dan mag ik een heel bijzonder cadeau uitzoeken, toch?'

'Natuurlijk.'

'Ik weet iets. Het is alleen wel een beetje duur.'

'O, dat geeft niet. Als je tien wordt, mag je alles.'
'Een beetje héél duur.'
'Maakt niet uit. Als ik mijn geld niet eens aan mijn dochter mag uitgeven, wat heb ik er dan aan?'

Het mocht natuurlijk niet, van mevrouw De Vries. Ze ging er de hele avond over door, wanneer Wieskes vader het niet hoorde. Wieske moest iets voor *zichzelf* vragen, op haar verjaardag. Dat hoorde zo, als je tien werd.
'Snap het dan,' fluisterde Wieske. 'Ik doe het óók voor mezelf. Mijn vader heeft geld genoeg, en zo helpt hij eigenlijk de familie Bulkenstein, via mij, via u. Zonder dat iemand het doorheeft. Dat is toch leuk, voor iedereen? Ook voor mij.'
Mevrouw De Vries moest er lang over nadenken, maar gaf toen toe dat Wieske gelijk had.

Daarna zei ze een tijd niets. Ze plukte aan haar jurk. En terwijl het gesprek ging over de handel, de zee en de toestand van de vissen – Arend-Jans vader was visser geweest – stond ze ineens op en zei luid: 'Atalanta.'

Ze keek de kring rond, uitdagend.

'Wat bedoelt u?' vroeg Wieske.

'Atalanta. Zo heet ik.' Haar hals was één en al vlek.

'Wat een gekke naam,' zei Mol. 'Nooit van gehoord.'

'Atalanta, dat is een mooie vlinder,' zei Wieskes vader. 'Niks mis mee.'

'Het is een rare naam,' zei mevrouw De Vries. 'Niemand heet zo.'

'Behalve dan die mooie vlinder,' zei Wieske.

'Het is Grieks. Mijn ouders wilden iets bijzonders.'

'Ik heet Balling Balthazar,' zei Wieskes vader. 'Dat is pas raar. Ik vind Atalanta juist mooi. Bijzonder.'

'Ik wil niet bijzonder zijn,' zei mevrouw De Vries. 'Bijzonder is apart. Apart is gek. Ik wil gewóón zijn.'

'Maar u bent niet gewoon,' zei Wieske. 'Dat vind ik juist leuk!'

'Nog een wijntje, Attie?' vroeg Arend-Jan, met de fles in zijn hand.

'O ja, en dan nog wat.' Mevrouw De Vries werd ineens rustig. 'Ik wil Katje.'

Iedereen keek verbaasd naar haar.

'Dat kastje is tot daar aan toe. Een bedrijf beginnen, oké, dat redden jullie misschien wel. Maar een poes, nee. Een poes vertrouw ik jullie niet toe.'

'Nou jááá, zeg!' zei Mol.

'Jullie stelen mijn kastje, ik neem jullie kat. Punt uit.'

Tussenhupje

Beer was de enige die bleef protesteren tegen de aangekondigde diefstal van Katje. De rest zag wel in dat mevrouw De Vries gelijk had en dat het beter was voor iedereen. In elk geval voor Katje.

Toen mevrouw De Vries had verteld dat ze het kastjesgeld voorlopig mochten houden, zei Arend-Jan tegen Beer dat hij zijn linkersok moest uittrekken. Beer keek verbaasd, maar deed het wel.

'En stop hem nu in je mond,' zei Arend-Jan.

'Echt niet,' zei Beer.

'O nee? Als je nog één keer over die kat zeurt, prop ik hem er zelf in.'

Toen het begon te schemeren, vertelde Mol een goed verhaal over hoe ze Arend-Jan had ontmoet. Hij kwam steeds maar onderbroeken kopen in het warenhuis waar zij werkte, omdat hij haar mee uit wilde vragen, maar niet durfde.

'Ik durfde pas toen ik er al 85 had,' zei Arend-Jan. 'Genoeg voor de rest van mijn leven.'

'Als ze je nog zouden passen,' zei Mol.

Mol had verkering met Frank van Galen, die later chef zou worden van de afdeling elektronica en daarna onderdirecteur. Frank had een rode Volkswagen, een appartement in het centrum en grote handen. Daar hield Mol van, van mannen met grote handen.

Arend-Jan had dat allemaal niet. Maar hij had wel een zonnig humeur. En dat had Frank dan weer niet. Zo won Arend-Jan uiteindelijk toch. Een goed humeur, dat bleek belangrijker dan die andere dingen.

Ze grapten wel eens dat Jodie waarschijnlijk tóch stiekem van Frank was, gezien haar buien.

Wieske wilde dat haar vader ook zo'n goed verhaal zou vertellen en stootte hem aan: 'Vertel eens van Wendelmoed, en van die snor, en zo.'

Hij schudde zijn hoofd. 'Nee, liefje.'

Papa was natuurlijk verlegen. Dan vertelde zíj het wel. 'Papa ging naar alle feestjes, terwijl hij daar helemaal niet van houdt, omdat mijn moe–'

'Niet doen, Wieske.'

Wieske. Geen Wielewiekje, Wiezeltje of Wiep. Haar vader keek haar aan, niet boos, maar wel zo serieus dat Wieske meteen haar mond hield.

Iedereen was stil en keek naar haar vader. 'Mijn vrouw is eh… overleden,' zei hij. 'Ik wil er niet over praten. Het is privé.'

Even was het stil. Daarna was iedereen al snel weer aan het lachen, omdat Arend-Jan een verhaal vertelde over zijn vader die zo handig en slim was dat hij zelfs kwallen nog wist te verkopen.

Het was donker toen Wieske en papa naar huis liepen. De hemel hing vol sterrenlichtjes en de maan was een mooie bijna-bol. Wieske pakte papa's hand, dan kon ze haar hoofd achterover laten hangen en naar de sterren kijken, zonder dat ze viel.

'Misschien moet ik ze toch maar wat geld lenen,' zei papa ineens.

'O ja?' Wieske bracht haar hoofd weer omhoog en keek hem aan.

'Ik weet niet. Ze hebben het moeilijk. De wereld waarin ik leef... werk, is hard. De geldwereld, bedoel ik. Koud.'

'Maar jij niet. Jij bent niet hard. En ook niet koud.'

Papa zei niets. Hij stapte door. Wieske moest steeds een tussenhupje maken om hem bij te houden. Haar hand gleed bijna uit de zijne.

'Toch?' vroeg ze.

Papa pakte haar hand steviger vast en ging langzamer lopen. 'Ik weet het allemaal even niet meer zo goed.'

Dat was raar. Papa wist alles. 'Wat dan niet? Wat weet je niet?'

'Ik weet niet. Ik weet niet wat ik niet weet. Misschien is dat wel het probleem.'

Het werd wel ingewikkeld. Ze kon beter haar vraag stellen, nu. De vraag die haar al een uur dwarszat.

'Pap, waarom mag ik niet vertellen over Wendelmoed?'

'Dat mag best, liefje, natuurlijk wel. Ik wil alleen niet dat ze "een verhaal" is. Jouw moeder is geen verhaal voor een gezellig avondje, snap je?'

'Nee, niet echt.'

'Stel je eens voor dat er inbrekers ons huis binnendringen,' zei hij. 'Dat is heel vervelend, toch?'

Wieske knikte, ook al had ze geen idee wat dat ermee te maken had. Ze kon het zich voorstellen, sinds gistermiddag, toen ze bang was dat Jodie had ingebroken en dingen kapot had gemaakt.

'Dit voelt voor mij ook zo. Alsof vreemde mensen dan óns verhaal binnendringen. Van jou en mij en Wendelmoed.'

Ze snapte het niet helemaal. Ze moest erover nadenken. Maar niet nu. Het was veel te leuk om hier te lopen, in het sterrendonker, met haar hand in die van papa. In haar buik woeien warme vlaagjes, alsof er engeltjes rondvlogen, met wapperende vleugels. Of bloemenfeeën. Haar gezicht tintelde. Ze kneep in papa's hand en papa kneep terug.

Dat was allemaal fijner, veel fijner dan nadenken.

'Ik vond het leuk dat je er was, vanavond,' zei Wieske, toen ze in bed lag.

'Ik ook,' antwoordde papa.

Wieske zag dat hij bobbels onder zijn ogen had. Jammer.

'Ben je heel erg moe?'

'Gaat wel. Ik heb niet zo goed geslapen, vannacht. Ik lag na te denken over wat mevrouw De Vries zei, gisteravond.'

'Wat zei ze dan?' Wieske wist precies wat mevrouw De Vries had gezegd, maar ze wilde het toch horen.

'Dat ik er niet vaak genoeg ben, voor jou. Ik sta daar nooit zo bij stil. Ik heb altijd het idee dat jij alles kunt en je prima redt. Maar... nou ja, je bent natuurlijk nog maar negen.'

Maak je geen zorgen, papa, ik ben bijna tien, ik kan ook alles en ik red me prima, wilde Wieske zeggen. Maar het lukte niet, het kwam haar keel niet uit.

'Vertel je het me wel, als je een probleem hebt?'

Ze knikte.

Ze schudde haar hoofd.

'Is dat ja of nee?' vroeg papa.

'Ik weet niet. Wanneer moet ik dat vertellen? Ik zie je vaak alleen maar 's avonds even, als je thuiskomt. En dan ga je snel naar bed.'

Hij was even stil. 'Ik ben een idioot, hè?'

'Weet je nog van de woordenschatkist?' vroeg Wieske.

'Natuurlijk.'

'Ik bedoel die ochtend dat we hem bedachten. Je ging niet naar je werk.'

Papa glimlachte. 'Ja. Die rare Izzy en haar vriendje.'

'Dat was leuk,' zei Wieske. 'Het is mijn liefste herinnering van toen ik klein was.'

Ze was vijf. Tantes oudste dochter Izzy had de vorige avond opgepast, met haar vriendje Roy. Wieske mocht lekker opblijven, en Izzy en Roy leerden haar nieuwe woorden. Nieuwe woorden leren was grappig, want Izzy en Roy werden steeds vrolijker terwijl Wieske ze oefende. Op het laatst rolden ze over de grond.

Wieske kon bijna niet wachten tot papa thuiskwam. Dan kon ze hem de woorden vertellen en hem ook vrolijk maken! Eindelijk, daar was hij. Hij kwam naast haar op bed zitten, zoals altijd, en Wieske begon de woorden te zeggen. Maar hij keek niet blij. Hij keek geschrokken. En daarna boos. Deed ze iets niet goed? Zei ze de woorden fout?

Papa gaf haar een kus en zei dat ze morgenochtend verder zouden praten.

's Morgens zaten ze samen aan de keukentafel. Papa dronk koffie en vertelde dat het geen goede woorden waren, die Izzy haar had geleerd. Het was beter om die niet te gebruiken. Wieske moet heel sip hebben gekeken, misschien huilde ze wel, want hij troostte haar, dat wist ze nog heel

goed. Hij zei dat ze samen andere woorden konden bedenken. Mooiere, leukere, gekkere.

Dat deden ze, de rest van de ochtend. Hij ging niet naar zijn
werk. Ze aten taartjes en broodjes en dronken limonade en
koffie. *Vergrobbeld. Megamietisch. Tierelierlijk. Berendoedels.* Dat
bedachten ze allemaal. En nog wel honderd andere woorden.
Papa schreef ze op briefjes en stopte ze in een kistje dat hij
uit zijn slaapkamer had gehaald. Wieske kende het kistje.
Het was van Wendelmoed geweest.

'Dit is onze woordenschatkist,' fluisterde hij in haar oor,
alsof niemand het mocht horen. Terwijl er niet eens iemand
was. 'Van jou en mij. We gaan samen bijzondere woorden
verzinnen, en sparen.'

Er waren later wel eens wat woorden bijgekomen, maar
nooit meer zo veel als die eerste keer, die ochtend aan de keukentafel.

Alleen maar leuks

Wieske lag tegen papa aan.

'Ik ga mijn best doen,' zei hij. 'Echt. Hm, misschien moet ik mevrouw De Vries maar in dienst nemen, dan kan zij me elke dag vertellen wat ik allemaal fout doe. Er zijn niet veel mensen die dat durven als je de baas bent van een groot bedrijf.'

'Ik denk niet dat ze dat wil,' zei Wieske. 'Ze zei tegen mij dat ze de Bulkensteins gaat helpen, in hun nieuwe bedrijf.'

'Wat voor bedrijf eigenlijk?'

'Weten ze nog niet. Ze gaan erover nadenken. Mol wil iets met chocola, Arend-Jan wil liever een schoonmaakbedrijf. Dat zei hij, tegen mevrouw De Vries.'

'Zo zo! Eerst nadenken, en niet meteen dóén. Ze gaan vooruit.'

'Ze moeten wel. Mevrouw De Vries wil het.'

Papa streelde Wieskes haar. Terwijl ze niet eens deed alsof ze sliep. Net als gisteren. Maar nu zonder mest.

'Hm. Ik snap trouwens nog steeds niet hoe die mensen in dat dure huis kunnen wonen, als ze helemaal geen geld hebben.'

'Nou eh...'

Ncc.

Ze ging het heus wel vertellen. Maar niet nu. Nu alleen maar leuks.

'Wieske,' zei papa.

Wieske, alweer. Wat was er? Wist hij het al?

'Weet jij wel...' Hij liet een stilte vallen.

Wieske keek omhoog, recht in zijn ogen.

'... dat jij de allerliefste dochter van de wereld bent?'

Soms was er zo'n moment dat alles goed was. Je kon het niet in je handen pakken of vastspijkeren of in een kistje bewaren. Je kon het alleen maar laten gaan en ooit zou het wel weer voorbij zijn, maar nu nog niet. Nu was het er.

Ollah Ekse!
Eindelijk zijn we er. We (ik, Marianne
Fee, Lelie Marleen en oma) hebben in het
vliegtuig gezeten, in de trein en in de
bus, op een veerboot en in een soort taxi.
We waren blij dat we er waren, bij papa en
mama, al was de reis leuk en soms ook
spannend.
Maar jij beleeft volgens mij meer dan ik.
Ik heb nog geen olifant gezien, en jij
hebt ze als buren. Ben je al uit de
elektrische rolstoel? En chocola op je
huis, dat wil ik ook wel! Het liefst
zonder mest.
In het dorpje waar mijn ouders werken is
geen internet, en we moeten bijna twee uur
lopen als we willen mailen. Dat kan niet
elke dag. Dan weet je dat even, zodat je
niet meer hoeft te denken dat ik dood ben
of boos of door krokodillen ontvoerd.
In het vervolg dus niet meer zo ongeduldig
doen, hoor. Wij zijn tweelingvriendinnen
en dat blijven we. Voor altijd.
Evol, Eila.